LE SECRET D'ADÈLE

Le Secret d'Adèle
se prolonge sur le site www.arenes.fr

Éditions des Arènes
27 rue Jacob, 75006 Paris
Tél. : 01 42 17 47 80
arenes@arenes.fr

VALÉRIE
TRIERWEILER

LE SECRET D'ADÈLE

ROMAN

LES ARÈNES

Comme une évidence, à mes fils.

À ma mère.

À Frédéric.

*«L'été vient. Mais il ne vient que pour ceux
qui savent attendre, aussi tranquilles et ouverts
que s'ils avaient l'éternité devant eux.»*
Rainer Maria Rilke

1. La biche

Ce 4 octobre 1904 est le plus beau jour de sa vie. Adèle s'éveille. Elle a passé une bonne nuit. Ses draps ont été changés sans qu'elle s'en souvienne ; ils sentent la délicieuse odeur du frais. Un printemps semble s'être glissé jusqu'au fond du lit. Elle observe le décor de sa chambre comme si elle le découvrait pour la première fois. Tout est tellement différent en elle.

Les suites de l'accouchement la font souffrir, elle a du mal à se mouvoir et à se tourner vers le berceau blanc. Elle se sent encore incapable de se lever. Son ventre lui donne l'impression d'avoir été déchiré, elle ne distingue plus la zone engourdie de son sexe. Qu'importe, elle veut voir son enfant. Elle veut le sentir à nouveau contre elle, presser ce petit corps chaud contre sa poitrine. Elle a demandé qu'il ne soit pas emmailloté de façon trop serrée. Elle ressent le manque de sa peau toute fripée contre elle. Son joli petit visage qu'elle n'a pas suffisamment eu le temps d'admirer ressemble à celui de Karl, son frère chéri.

Du berceau, elle n'entend que le silence. Avec difficulté, elle se redresse dans son lit en prenant appui sur la paume de ses deux mains, elle lève le menton, puis tend le cou vers le petit lit pour s'apercevoir que Fritz n'y est pas. La sage-femme a dû le prendre pour refaire ses langes. Elle aussi a besoin d'être changée, elle a perdu beaucoup de sang, l'humidité qu'elle sent entre ses jambes l'incommode. Adèle saisit la cloche, l'agite fébrilement à trois reprises, avec plus d'impatience la dernière fois. Sa femme de chambre arrive aussitôt.

– Hannah, je voudrais que l'on m'amène mon petit.

La jeune femme baisse les yeux, regarde ses chaussures et balbutie :

– Je préviens, madame, je préviens.

Elle détourne la tête avant de s'échapper de la pièce. Adèle attend. Elle a tellement hâte de prendre son enfant dans les bras. Elle ne veut pas penser au malheur de l'année précédente. Fritz ne remplacera jamais cette petite fille mort-née avant terme. Mais il est là désormais, elle est prête à lui offrir tout l'amour contenu depuis ce jour maudit. Elle n'oubliera jamais la date du drame, le 24 février. Elle avait été anéantie. Ni le médecin ni la sage-femme n'avaient accepté qu'elle voie cet enfant mort. Pire encore, la petite n'avait reçu ni prénom ni sépulture. Ils parlaient d'une fausse couche alors qu'elle venait de dépasser le sixième mois de grossesse. Des heures durant, elle avait fixé la neige qui tombait, tout était glacial. À l'extérieur comme à l'intérieur de son âme.

Mais son fils est là désormais. Elle ne doit pas ressasser ce malheur, mais se consacrer à Fritz tout juste arrivé au monde, un cadeau du ciel qu'elle va retrouver d'une minute à l'autre. Elle pourra le couvrir de baisers. Il n'est pas bien gros, c'est vrai, cet enfant, mais il prendra vite du poids. Et Adèle aussi récupérera vite de cet accouchement interminable. Des heures à entendre la sage-femme lui ordonner de pousser, pousser encore. Elle a cru qu'elle n'y parviendrait jamais. Comme si ce petit malin se trouvait si bien à l'intérieur d'elle-même qu'il ne voulait pas sortir. Comme s'il n'était pas encore prêt à connaître sa mère.

«Mais que font-ils donc avec mon bébé?», s'interroge Adèle.

Elle s'impatiente. Elle attrape la cloche et sonne à nouveau. Cette fois c'est Thérèse, sa sœur aînée, qui entre dans la pièce.

— Ma Thédy adorée, je suis heureuse de te voir, mais tu arrives trop tôt. Ils ne m'ont pas encore rendu mon fils. J'ai hâte de te le présenter!

C'est la première fois qu'elle prononce « mon fils ». Au moment même où ces deux mots s'échappent de ses lèvres, ils résonnent en elle, diffusant bonheur et fierté. Elle n'a pas seulement un enfant, elle a désormais un fils : Fritz Bloch. Il accomplira de grandes choses. Il ne peut en être autrement, elle a tant d'amour à lui prodiguer.

Thérèse s'approche, les yeux embués de larmes.
– Mais Thédy, pourquoi pleures-tu ? Je suis si heureuse. Tu vas voir comme Fritz est beau, il est magnifique, il ressemble à notre Karl ! Il a la bouche aussi délicatement dessinée. Qu'attends-tu pour me féliciter !
L'aînée prend sa jeune sœur dans ses bras. Ses larmes se métamorphosent en longs sanglots. Adèle comprend l'émotion de Thérèse. Elle avait été tellement triste pour elle quand la petite, née trop tôt, s'était transformée aussitôt en ange.
Adèle la rassure.
– Je ne pensais plus connaître un aussi grand bonheur. Te rends-tu compte, ma Thédy, quand Fritz pourra jouer avec ses cousins, quelle joie ce sera !
– Mon Adèle chérie, c'est terrible. Fritz s'en est allé.
Thérèse ne parvient pas à achever sa phrase, les sanglots la font suffoquer. Hagarde, le regard fixe, Adèle n'émet aucun son, ne verse aucune larme. Elle est figée. Même sa respiration paraît avoir cessé.

Thérèse serre la main de sa sœur et se retire de la pièce sans un mot, laissant Ferdinand, qui attendait derrière la porte, la relayer. Il a les yeux gonflés et rougis. Il ne sait comment s'y prendre lui non plus, mais qui sait trouver les mots quand le malheur frappe à nouveau et si durement?

– Son cœur s'est arrêté, il n'y a rien eu à faire, ma chérie. Notre petit Fritz a rejoint sa sœur. Peut-être était-ce une méningite, les médecins nous le diront rapidement.

Ferdinand veut prendre sa femme dans ses bras; elle se laisse faire comme une poupée de chiffon.

Adèle garde les yeux dans le vague, étouffe de douleur. Elle est oppressée. Elle ne peut pas y croire. Elle l'a vu, cet enfant. Elle a senti son souffle chaud contre sa poitrine. Elle a caressé sa peau, elle a embrassé le duvet blond de son crâne si rond, et son pied si joli. Elle a compté les doigts, les orteils, elle a vérifié que rien ne manquait. Elle a entendu ses cris. Fritz était parfait. Il était son enfant rêvé.

Depuis l'annonce de la mort de Fritz, Adèle est devenue mutique, elle n'a pas prononcé un seul mot. Seuls des gémissements s'échappent régulièrement de sa gorge pour évacuer le trop-plein de souffrance. Elle s'est enfermée avec sa douleur, dans un état de sidération. Refusant de sortir de la chambre, elle en fixe la porte, comme si un miracle pouvait se produire. Comme si ce malheur n'était pas arrivé et que la femme de chambre allait surgir, le nourrisson dans les bras, le sourire aux lèvres, prête à le glisser contre le sein maternel. Adèle ne répond pas non plus aux sollicitations de Ferdinand ou de Thérèse. Sa mère n'a pas eu davantage de succès. La vieille dame lui a expliqué qu'elle connaît, pour l'avoir elle-même vécu, ce chagrin intense lié à la perte d'un enfant. Mais il n'y a pas d'autre choix que d'accepter. Ce jour-là, les larmes ont coulé sur les joues d'Adèle, se confondant à celles de sa mère lorsque leurs deux visages sont restés unis l'un contre l'autre, pendant de longues minutes.

Adèle exclut de porter des garnitures, elle veut garder ce sang qui a coulé et lui a amené son enfant avant qu'il ne disparaisse à jamais. Elle veut voir ses draps blancs souillés de ces caillots rouge foncé, qu'elle sent glisser entre ses jambes, dans cette voie obscure par laquelle Fritz est venu au monde. Elle ressent à nouveau cette sensation unique de l'expulsion. Ils appellent cela la délivrance, mais ce mot est étranger à Adèle emprisonnée dans son chagrin abyssal. Engloutie. Pourquoi n'est-elle pas morte lors de l'accouchement avec Fritz ? Ils seraient partis tous les deux ensemble, ailleurs ou nulle part, ça lui est égal, elle aurait échappé à cette douleur. Elle panique, elle suffoque, elle veut mourir, elle ne voit pas d'autre issue. Seule la mort serait une délivrance.

Hannah use de toute la douceur possible pour convaincre sa maîtresse de quitter le lit, au moins quelques minutes pour remettre à neuf la couche. La femme de chambre parvient à entraîner Adèle dans le cabinet de toilette. Elle l'assoit sur le fauteuil en osier, relève délicatement sa chemise de nuit de coton finement brodé, auparavant blanche, et nettoie lentement, à l'aide d'un linge humide, l'intérieur de ses cuisses. Minutieusement elle enlève ce sang desséché, collé sur sa peau glabre. Adèle se laisse faire, silencieuse, extérieure à elle-même et à ces gestes qu'elle aurait trouvés si impudiques en d'autres circonstances. Son avant-bras retombe brusquement, devant son sexe, par honte. Non pas d'exposer ce qui ne devrait être vu, mais de montrer à la face du monde qu'elle n'a pas été capable d'avoir un enfant. Qu'elle ne sait que provoquer la mort quand d'autres donnent la vie. Elle a perdu tout sentiment de dignité. Sa tête est renversée sur le haut du dossier, Hannah accroupie à ses pieds. Après quelques minutes, le linge a pris une teinte rosée et les cuisses d'Adèle ont retrouvé leur blancheur et leur transparence.

Lorsqu'elle regagne sa chambre, avec une nouvelle tenue de nuit et des draps immaculés, Adèle se résigne à avaler quelques gorgées de thé, sans grand entrain. Puis elle retourne à son silence, les yeux fixés sur le tableau de maître allemand, celui que son père a récemment offert au jeune couple. Un visage de fillette au regard éploré. Tout est sombre, et pourtant l'enfant est lumineuse.

Adèle Bloch n'accepte que ses trois visiteurs réguliers : sa mère, sa sœur et son mari. Ferdinand a du mal à trouver les mots justes, mais il ne cesse de lui renouveler des témoignages d'amour. Que leur couple ait ou non un enfant ne pèse pas face à l'absolu de son amour. Mais dès qu'il prononce ce mot d'« enfant », Adèle est secouée de spasmes déchirants que rien ne parvient à endiguer. Elle se retourne, plonge le visage dans son oreiller, elle voudrait disparaître. Ne plus voir, ne plus être vue. Ne plus exister.
C'est dans les bras de Thérèse qu'Adèle trouve son seul réconfort. Adèle apprécie que sa Thédy ne minimise pas sa peine.

Après deux nouvelles journées, Adèle refuse obstinément de quitter le lit. Elle est recroquevillée sur le côté droit, si proche du bord, prête à basculer dans un gouffre. Son fils n'aura pas vécu vingt-quatre heures. Il est venu au monde le 3 au soir, il est reparti dès le lendemain matin, le 4 de ce maudit mois d'octobre. Comment est-ce possible ? Malgré ses jeunes enfants, Thérèse passe le plus clair de son temps avec sa sœur. Elle multiplie les allers et retours entre le 1er arrondissement, où elle vit avec son mari Gustav Bloch, frère de Ferdinand, et la Schwindgasse, dans le

4ᵉ arrondissement, où habitent Adèle et son époux. Il faut traverser le canal, son cocher pourrait faire le chemin les yeux fermés, les deux chevaux qui tirent le cabriolet connaissent le trajet par cœur.

Thérèse et Ferdinand doivent parler à Adèle des obsèques de Fritz. Elles ont lieu le surlendemain, et ne peuvent décemment plus être reportées. Le petit corps a été transporté à la morgue de l'hôpital. Ferdinand a fait publier l'avis de décès dès le lendemain. Surtout éviter que des félicitations arrivent au domicile, tout le monde n'a pas appris la terrible nouvelle. Hannah a caché deux bouquets gigantesques de fleurs multicolores livrés la veille. Les expéditeurs, des clients de Ferdinand, s'étaient précipités pour adresser leurs vœux. Ils n'avaient pas imaginé. Nul n'aurait pu.

Ferdinand accueille Thérèse dans le vestibule.
– Comment va-t-elle aujourd'hui ?
– Il n'y a pas d'évolution. Le docteur Bruden est passé ce matin. Elle lui a répondu par monosyllabes, il envisage un traitement.
Ferdinand semble porter le poids du monde sur les épaules. Lui, d'ordinaire si absorbé par ses affaires, n'a pas quitté l'appartement de Schwindgasse. Il refuse de s'éloigner d'Adèle, il a même craint qu'elle ne veuille mettre fin à ses jours. Au fond, il préfère la savoir immobile dans son lit que dans les

rues de Vienne. Il l'a imaginée cent fois se jeter dans le canal. Lui, l'homme au sommeil de plomb, n'a pas dormi depuis trois nuits. Dès qu'il ferme les yeux, désormais marqués par deux larges cernes, il voit Fritz, il voit Adèle, il voit la mort. Lors d'un court moment de somnolence, il a été réveillé en sursaut par un cauchemar terrible. L'eau du canal était devenue rouge sang. Tout était couleur sang, partout dans Vienne. Même le sucre produit dans sa manufacture était carmin. Ferdinand frappe à la porte de la chambre d'Adèle et rentre sans attendre de réponse, suivi par Thérèse. Chacun d'entre eux s'assoit sur un bord opposé du lit.

Ferdinand prend les mains de sa femme.
– Adèle, nous devons organiser les obsèques de Fritz, que souhaitez-vous ?
Deux épaisses larmes s'échappent aussitôt de ses yeux clos. Thérèse tente à son tour :
– Nous avons besoin de toi. Tu dois nous dire quelle cérémonie tu envisages.
Pour la première fois depuis trois jours, Adèle ouvre la bouche. La voix est blanche et son regard se perd dans le néant. Il n'y a que ça autour d'elle, un vide vertigineux.
– Je ne veux pas de cérémonie ni de procession. Nous le porterons en terre sans personne. Avec seulement père et mère, Gustav et toi. Juste nous. À quoi serviraient les prières maintenant qu'il est mort ? Je n'en veux pas. Je ne crois plus

en rien. Je veux une pierre blanche, c'est tout. Et je veux que son corps repose dans l'espace interconfessionnel du cimetière central.

Adèle achève sa phrase en enfouissant son visage entre ses mains.

– Ma chérie, non! Fritz doit être enterré avec les nôtres, dans la partie juive.

– Pour quoi faire, Ferdinand? Être juif l'a-t-il sauvé? La religion m'a-t-elle soutenue? Celle-là ou une autre? Je n'y crois plus, je n'y croirai plus jamais.

Sa voix s'étrangle, se perd dans l'oreiller dans lequel elle enfonce son visage.

– Laissez-moi maintenant, laissez-moi seule.

– Adèle, j'accepte qu'il n'y ait ni cérémonie ni rabbin. Mais notre enfant sera inhumé dans la partie juive.

Ferdinand n'avait plus usé de ce ton autoritaire depuis son mariage. La jeune femme a transformé sa vie, auparavant si austère en dehors de ses périodes de chasse. Adèle ne lui a apporté que de la joie, illuminant son existence de vieux garçon par sa fantaisie et sa curiosité.

Adèle n'a pas la force de lutter. Elle acceptera le cimetière juif, la terre des siens. Elle est reconnaissante qu'on ne lui impose pas la présence de la bonne société viennoise, celle qu'elle reçoit dans son salon. Celle qu'elle n'a pas envie de voir.

Le lendemain, sur l'insistance d'Hannah, Adèle concède à revêtir une robe d'intérieur de velours bordeaux. Elle retrouve un peu de la grâce et de l'élégance qui ont fait sa réputation. Mais sa mine est triste et abattue, elle a l'air perdue dans ce vêtement devenu trop grand en quelques jours. Les obsèques ont lieu dans moins de vingt-quatre heures, à onze heures du matin, une autre journée d'horreur à affronter pour elle. Mais au moins Fritz aura eu une existence. Fulgurante, mais une existence tout de même. Pas comme sa fille mort-née, un après-midi de grand hiver et de gros flocons. L'unique journée de la vie de Fritz a permis à Adèle d'être considérée comme une mère.

Adèle se rend à la morgue, elle tient à voir une dernière fois le visage de Fritz. Ferdinand la maintient fermement par le bras. Elle pose ses lèvres sur celles, desséchées, de son enfant. Ses jambes se dérobent, son mari la soutient maintenant. Fritz a l'air d'un ange avec ses yeux clos, sa bouche si parfaitement découpée. Il porte une tenue blanche brodée qui le recouvre jusqu'aux pieds. Sa jolie petite tête est ceinte d'un bonnet de naissance bordé par un volant de satin. Pourquoi ne bouge-t-il pas? Adèle veut croire encore une fois qu'il se réveillera, qu'il ouvrira les yeux, qu'elle entendra le cri de son nourrisson affamé. À cette idée folle, Adèle sent la montée de lait inonder sa chemise. Malgré le bandage de ses seins, la nature continue à exercer ses droits. Elle est une mère.

Ferdinand saisit sa femme pour la mener vers l'extérieur. Il refuse qu'elle assiste à la mise en bière. Adèle dépose un ourson en peluche près du corps. Ils n'ont plus qu'à rentrer.

Le lendemain, la calèche attend devant la maison. Ferdinand a organisé les choses, le cercueil en chêne est déjà installé entre les fauteuils. Le cortège se résume à la calèche et trois fiacres. Adèle et Ferdinand occupent celui de tête, qui transporte le cercueil. Il est si petit. Sur toute la voiture, des fleurs blanches ont été accrochées. Adèle a voulu que les chevaux soient blancs et non pas noirs comme il sied pour un enterrement.

Franz, le cocher, s'est chargé de trouver quatre attelages pour la journée. Il s'est occupé de tout, il voudrait décharger Mme Bloch de sa douleur. Il a tellement de respect et d'admiration pour elle. Les chevaux avancent au pas, les sabots sonnent le glas sur les pavés, le chemin est long jusqu'au cimetière central situé dans le sud-est de la ville. Les parents d'Adèle occupent le fiacre qui suit, puis vient celui de Thérèse et Gustav Bloch. Adèle a accepté d'élargir l'assemblée à son cercle familial proche. Ses quatre frères, Raphaël, Léopold, Eugen et David, se sont rassemblés en fin de cortège.

À ce rythme, il faut près d'une heure et demie pour atteindre le cimetière central. Le cocher est venu la veille repérer l'endroit où reposera l'enfant. Il ne voulait pas risquer de chercher l'emplacement de la future tombe.

Le cimetière est tellement vaste, quadrillé de larges avenues et d'allées qui se croisent et s'entrecroisent. L'endroit est beau et on s'y sentirait presque bien. Mais il y aura là bientôt plus de morts que de vivants à Vienne. Le cortège pénètre à présent dans cette «ville des morts», comme disent les Viennois; il avance plus lentement encore dans les grandes voies forestières. D'autres familles sont venues accompagner l'un de leurs proches, mais aucune certainement pour un si jeune enfant. Il faut encore près de quinze minutes pour atteindre la partie ouest. Les voitures stoppent enfin à la division juive. Le reste se fera à pied. Le ciel est d'un bleu parfait, les cimes des arbres jouent avec le soleil qui réussit de grandes percées aveuglantes.

Deux hommes en tenue sombre s'emparent du cercueil et le portent aussi aisément que s'il était vide. Adèle, soutenue par sa mère et Ferdinand, parvient à peine à faire les quelques pas nécessaires jusqu'au carré de terre creusé. Jeanette a tenté de convaincre sa fille d'opter pour une cérémonie simple, où seul le kaddish aurait été prononcé, au moins cette prière des morts; en vain.

Tout se déroule en silence. Ils sont tous regroupés autour de cette fosse. Le cercueil va être déposé d'une minute à l'autre. Tout sera fini. Adèle est elle-même, en cet instant, dans un trou noir. Elle saisit le panier rempli de pensées blanches au cœur mauve comme peint au pinceau. Elle les dispose tout autour du cercueil, devant la pierre tombale sur laquelle est déjà gravé : Fritz Bloch 3 octobre 1904-4 octobre 1904. Il n'y a pas d'épitaphe. Elle regarde de chaque côté, elle veut savoir qui sont les autres enfants, sous terre, eux aussi privés de vie. Morts à trois, six ou dix ans. Ils sont là, alignés dans des sépultures modèles réduits. Sur plusieurs rangées. Elle aperçoit des prénoms, des noms, des dates. Elle n'est pas seule avec son chagrin, elle pense à tous ces parents qui ont traversé cette épreuve indicible. Comment ont-ils réussi à vivre ? Mais là, c'est elle ; elle qui a perdu son enfant, son ange, son tout-petit. Adèle s'effondre, tombe à genoux, les mains à plat sur la terre, un long sanglot s'échappe de sa poitrine, troublant la quiétude de ce lieu dédié au repos éternel. Thérèse et Ferdinand se précipitent pour la relever et la hissent aussi rapidement qu'ils le peuvent. On ne se laisse pas aller, même dans les pires moments, il faut savoir se tenir. Thérèse lui tend un mouchoir, elle s'essuie le visage, lève les yeux. Ferdinand l'enlace.

Malgré sa petite taille, ses bras rassurants forment un rempart. Adèle redresse la tête, surprend une biche, à robe claire, surgie de derrière un arbre ; immobilisée devant une

25

tombe, elle donne le sentiment d'être gravée dans la pierre. L'animal fixe Adèle de ses yeux étonnés, semblant lui parler, avant de filer dans le sous-bois rendu lumineux par le feuillage ajouré des grands chênes. Adèle songe que cette biche est venue chercher l'âme de son fils, qu'elle est un guide vers l'au-delà. Qu'il vivra une autre vie, ailleurs. Cette pensée la réconforte brièvement. Elle veut s'y accrocher, c'est l'unique moyen pour elle de ne pas sombrer. Elle demande à rester seule un instant devant le cercueil de Fritz pour prolonger ce temps qui la relie encore à son enfant. Si seulement il était encore en elle, si elle pouvait le sentir bouger, apercevoir la forme de son pied se dessiner à travers la peau de son ventre. Elle aimerait l'arracher de son tombeau et fuir. Lui offrir une nouvelle chance, qu'il naisse ailleurs, qu'il vive. Son désir est tellement fort qu'elle ressent à nouveau les troubles de la grossesse. Instinctivement, elle pose sa main sur son ventre. Ferdinand voit le geste, comprend aussitôt et insiste pour rester près d'elle. Il lui prend la main mais n'ose pas croiser son regard. Aimantés par leur malheur, ils fixent la tombe. Ferdinand est le premier à réagir, il murmure à l'oreille d'Adèle :

– Je vous rendrai heureuse, Adèle, je vous le promets. Je vous le promets, je redonnerai de la couleur à vos jours. Croyez-moi, je vous aime. Ne perdez pas confiance en la vie.

Adèle ne parvient pas à prononcer le moindre mot. Mais par une pression de la main, elle lui signifie qu'elle entend ce qu'il lui dit. Lasse, elle donne le signal de départ. Le cortège s'apprête à repartir. Le soleil disparaît avec lui, dans un silence remarquable. Que le retour semble long, les chevaux ont beau trotter cette fois, le parcours n'en finit pas. Il faut traverser tout le faubourg avant de regagner la Schwindgasse. Adèle n'a qu'une hâte, s'enfermer dans sa chambre, être seule, se recouvrir d'un drap. Comme son enfant de son linceul. Elle n'a pas vingt-trois ans et elle regarde les vestiges de sa vie comme si plus rien ne pouvait être reconstruit.

Quel avenir pourrait émerger de ce malheur? Qui la comprend en cet instant? Seule sa solitude lui paraît à la hauteur de son chagrin. Elle veut l'entretenir et même la chérir. Elle ne souhaite rien d'autre. Elle a fait savoir, la veille, qu'il n'y aurait pas de déjeuner. Elle n'a pas le cœur à jouer les maîtresses de maison. Chacun rentrera chez soi, ses parents aussi. Tous partiront, avec le fardeau de cette funeste journée.

Les jours s'écoulent dans une langueur indescriptible. La nuit tombe désormais tôt mais qu'importe, Adèle ne voit quasiment pas la lumière. Elle ne délaisse sa chambre que pour le repas du soir avec Ferdinand ; il insiste tant. Elle ne veut pas de dîner d'apparat et les domestiques se font le plus discrets possible. Le couple se contente souvent d'un repas léger, pris à la hâte, dans la petite salle à manger, à la lueur de deux lampes à huile et d'un chandelier qui tamise l'éclairage. La pâleur d'Adèle ne supporte pas l'électricité agressive et crue. Ferdinand se rend bien compte que sa jeune épouse se force à avaler quelques bouchées, elle maigrit à vue d'œil. Il la voit, chaque jour, s'enfoncer un peu plus. Pour tenter de la divertir, il lui raconte les nouvelles du monde, évoque ses affaires, un nouvel opéra qu'ils pourraient aller voir ensemble dès qu'elle en aurait le désir. Adèle grappille dans son assiette tandis qu'il la regarde de son air interrogateur, avec sa prière muette : « Quand irez-vous mieux, Adèle ? »

Il ne veut pas la brusquer et retient cette phrase qui lui brûle les lèvres. Parfois, il est tenté de poser un ultimatum, de lui laisser encore trois mois, une date limite à partir de laquelle elle devra revenir à la vie, mais la fin d'un chagrin ne se décrète pas. Il saura être patient. Adèle continue à lui refuser l'accès de sa chambre. Elle se sent encore si fatiguée. Elle est épuisée, harassée à l'idée de vivre. Elle réprime un bâillement, lui demande la permission de se retirer. Ses livres l'attendent.

Elle s'est fait déposer quelques ouvrages sur sa table de chevet. Elle choisit d'ouvrir *Lettres à un jeune poète*, de Rainer Maria Rilke. Certaines pages semblent écrites pour elle :

Presque toutes nos tristesses sont, je crois, des états de tension que nous éprouvons comme des paralysies, effrayés de ne plus nous sentir vivre. Nous sommes seuls alors avec cet inconnu qui est entré en nous, pouvant vous être de quelque secours ou utilité. De grandes et multiples tristesses auraient donc croisé votre route et leur seul passage, dites-vous, vous a ébranlé. De grâce, demandez-vous si ces grandes tristesses n'ont pas traversé le profond de vous-même, si elles n'ont pas changé beaucoup de choses en vous, si quelque point de votre être ne s'y est pas proprement transformé. Seules sont mauvaises et dangereuses les tristesses qu'on transporte dans la foule pour qu'elle les couvre. Telles ces maladies négligemment soignées et sottement, qui ne disparaissent qu'un temps pour reparaître ensuite plus redoutables que jamais.

Les mots de Rilke sont une caresse sur sa douleur. C'est la première fois qu'Adèle souligne un passage dans un livre, à l'encre violette. D'ordinaire, elle est si soigneuse des volumes qui lui appartiennent. Jamais elle ne corne une page, elle déteste cela. Ce serait leur manquer de respect. Des feuilles d'érables, de chênes et de marronniers qu'elle fait délicatement sécher, dans du papier journal, lui servent de marque-pages. C'est son père qui lui a appris cette façon de faire lorsqu'elle était enfant. Dès qu'elle sort un ouvrage de sa bibliothèque, il n'est pas rare que l'une de ces feuilles tombe en virevoltant comme de l'arbre, pour atterrir, sans bruit, sur l'épais tapis.

Pour une raison qu'elle ne s'explique pas, elle n'est pas retournée sur la tombe de Fritz. Elle regrette de ne pas avoir fait venir de photographe tout de suite après sa naissance pour qu'il réalise son portrait. Elle aurait pu ensuite faire reproduire cette image par un peintre. Elle craint que le temps efface le souvenir de ses traits. Que se passera-t-il lorsqu'elle ne se souviendra plus de son petit visage, de sa bouche si délicate, de son nez si fin et de ses yeux en amande? Elle l'aura perdu à tout jamais. Sa naissance deviendra abstraite. Cette perspective l'anéantit encore davantage.

Alors souvent, elle ouvre le tiroir de sa commode dans lequel elle a précieusement rangé la layette prévue pour les premiers jours. Hannah l'a emballée dans du papier de soie. Adèle s'en saisit, dénoue le ruban, déplie délicatement les quatre versants de l'emballage, caresse les minuscules vêtements blancs ou bleus, comme s'ils pouvaient lui faire ressentir la douceur de la peau de Fritz. Mais ses larmes viennent aussitôt inonder ce trésor qu'elle remet là où elle le cache. Là où Ferdinand n'aurait pas idée de chercher.

Lui et les autres n'ont que ce mot-là à la bouche: «le temps». Le temps qui guérit, qui efface. Mais ils ne savent pas eux.

– Hannah, racontez-moi comment était Fritz. Le trouviez-vous beau ?

– Oui madame, il était très beau. Mais c'est un ange maintenant, il faut le laisser là où il est. Il n'est pas seul, il est entouré d'anges comme lui.

Adèle n'insiste pas. Personne ne peut la comprendre. L'hiver s'est installé sur Vienne. Il fait tellement froid. Adèle ne sort presque pas ; regarder les plaques de givre s'agripper au long des fenêtres suffit à la faire grelotter. La dernière fois qu'elle a accepté de rendre visite à Thérèse, elle a attrapé un refroidissement dans le cabriolet. Ses forces ne sont pas encore revenues. Ferdinand a repris ses déplacements en Bohême. Il doit veiller sur ses manufactures. Le directeur de son usine de Choprin en Moravie lui demande un nouveau recrutement de quinze ouvriers. Il veut être certain que ces embauches sont indispensables. Il n'a pas remis les pieds à la chasse. Adèle lui a reparlé de la biche du cimetière, elle a évoqué à plusieurs reprises la grâce de l'animal qui semblait revenir d'outre-tombe. Elle n'a pas osé lui dire ce qu'elle avait pensé à propos de l'âme de Fritz.

Un soir, Ferdinand trouve sa jeune femme, comme souvent, en tenue d'intérieur, assise dans un coin de la bibliothèque, un livre à la main qu'elle ne lit pas. Comment le pourrait-elle ? Le regard perdu, elle est dans la pénombre dans une attitude méditative. Ferdinand tente de masquer son agacement. Lui aussi souffre de grande tristesse depuis déjà trois mois que Fritz les a quittés, mais l'état d'Adèle le désespère plus encore. Il résiste à l'abattement, aspire à un avenir meilleur. Il n'est pas homme à ressasser le passé, et voir Adèle submergée par cette vague de mélancolie dans laquelle elle se noie le désole.

– Bonsoir ma chérie, qu'avez-vous fait aujourd'hui?

– Je suis allée marcher un peu au Belvédère, mais le vent était glacial.

Ferdinand sait qu'elle lui ment. Hannah vient de lui confirmer qu'elle n'est pas sortie de la journée. Ces jardins, qu'elles aimaient tant jusque-là, lui sont devenus insupportables avec cette foultitude de nurses poussant leurs landaus à l'anglaise. Elle n'a quasiment rien avalé non plus. Elle se comporte désormais comme les enfants récalcitrants, repoussant la nourriture dans tous les recoins de l'assiette, espérant que les aliments deviennent invisibles.

Depuis peu, elle demeure des heures dans son bain, réclamant à plusieurs reprises qu'on lui rajoute de l'eau très chaude. Avec un gant de crin, elle frotte sa peau jusqu'à la rendre rouge sang. Son ventre est redevenu plat, mais le retour de couche ne s'est pas encore annoncé, il lui reste ainsi une preuve de cette grossesse. Le docteur Bruden a conseillé à Ferdinand de ne pas insister, de respecter le sanctuaire de sa chambre. Il se contente de l'enlacer, mais il la trouve tellement lointaine et absente que souvent il laisse retomber ses bras en même temps que son désir.

Ferdinand s'assoit près d'Adèle, et lui prend la main avec un peu de cérémonie comme à chaque fois qu'il s'apprête à lui dire des choses importantes. Il avait procédé ainsi lorsqu'il l'avait demandée en mariage.

– Adèle, j'ai besoin de vous. Soyez vivante. Je vous en prie, soyez vivante. Je veux vous entendre parler, je veux vous entendre rire, je veux vous voir danser, écouter de la musique. Je vous veux telle que vous étiez, Adèle, telle que je vous ai épousée.

Pour la première fois depuis ces longs mois, Ferdinand perçoit une étincelle dans le regard d'Adèle. L'étincelle a fait jaillir une larme. Cette phrase – « Soyez vivante » – a profondément touché Adèle, la sauvant de l'anéantissement. La peine est là, ancrée en elle-même, mais elle réalise soudain que son mari aimant est là lui aussi. Elle doit résister au torrent de désespoir qui n'a cessé de creuser ses plaies encore plus profondément.

– Oui, Ferdinand, je vivrai.

Ce soir-là, ils redeviennent mari et femme, s'unissant au gré de leurs pleurs et de leur plaisir. Le lendemain, Adèle fait prévenir Thérèse qu'elle aimerait se rendre au cimetière avec elle. Elle a besoin de parler à sa sœur. Elle veut lui dire que, si le temps du deuil n'est pas achevé, elle doit croire à nouveau en la vie parce qu'elle est mariée, parce qu'elle est aimée. Elle veut aussi expliquer à Fritz qu'il restera à jamais dans son cœur. Devant sa tombe, elle dispose les mêmes bouquets de pensées blanches au cœur mauve que le jour des obsèques. Elle les a achetées à la même marchande avec sa coiffe et ses mains abîmées par l'eau froide, à l'entrée du cimetière. Adèle demande à Thérèse de la laisser quelques minutes avec Fritz. Elle lui parle à voix haute, elle dit «mon bébé». Elle dit «maman» en parlant d'elle. «Maman sera toujours là.»

La biche n'a pas réapparu.

2. La passion de la porcelaine

A dèle n'est pas sortie dans un lieu public depuis la mort de Fritz. Mère et fille ont prévu de déjeuner à Schwindgasse. Mme Bauer est annoncée pour midi. Elle est d'une ponctualité exemplaire. Adèle est prête à l'heure dite, dans sa tenue noire qu'elle ne quitte plus.

– Mme Bauer est arrivée.

– J'arrive tout de suite, Hannah.

Adèle accourt, se précipite dans les bras de sa mère. À cet instant, elle a dix ans. Ce n'est plus la femme de Ferdinand Bloch, la mère éprouvée, mais une enfant perdue. Les deux femmes se dirigent vers le petit salon, s'installent l'une en face de l'autre.

– Ma toute petite, il va falloir que vous repreniez du poids, vous n'avez plus que la peau sur les os.

– Oui maman, je vous le promets.

Sur le visage de sa mère, Adèle cherche dans le sillon des rides la trace des épreuves et le chemin par lequel Mme Bauer s'en est sortie. Elle vient d'avoir soixante-quatre ans, ses enfants sont tous élevés. Ceux qui ne lui ont pas été enlevés par le sort.

Jeanette a perdu deux enfants : Mira, disparue au cours de sa première année, et Karl, mort de maladie à vingt-six ans. Jusque-là, tout occupée par sa jeunesse, Adèle n'avait jamais songé que sa mère pût souffrir. Elle avait perdu son frère adoré. Sa peine avait été celle d'une enfant de quinze ans chez qui toutes les émotions sont un volcan ; sa mère avait perdu son fils sans une plainte, drapant son chagrin d'un voile de dignité au point que personne ne s'était préoccupé d'elle. Avant Karl, il y avait eu Mira, l'aînée. Elle aurait eu quinze ans à la naissance d'Adèle, elle était la jumelle de Raphaël.

Jeanette et Adèle ont vécu le même drame. Sa mère a trouvé le courage de vivre. Elle avait le petit Raphaël qu'il fallait chérir. Jeanette n'avait que vingt-cinq ans au moment du drame. Elle ignorait que la vie pouvait reprendre autant qu'elle donnait. Elle s'était accrochée à son fils survivant comme à un radeau, redoublant d'abnégation et de dévouement maternel.

Jeanette raconte à sa fille ce qu'elle avait toujours tu, à mots doux et simples, comme si elle se confiait à une amie : l'immensité de son chagrin, son vacillement devant la vie, ses doutes. C'était il y a trente-huit ans, depuis pas un jour ne s'est écoulé sans qu'elle ne pense à cette petite fille. Pour la première fois depuis sa tendre enfance, Adèle se blottit contre la poitrine de sa mère, pleure doucement, sans sanglots, sans bruit. Jeanette caresse les cheveux de sa fille en répétant : « Ma toute petite, ma toute petite. »

– Croyez-vous, maman, que Fritz aurait ressemblé à Karl ?

– Il aurait eu les traits d'un Bauer certainement, mon enfant. Regardez le Karl de Thérèse, il en prend bien le chemin.

Adèle en avait voulu à sa sœur, lorsqu'elle avait appelé son nouveau-né Karl, trois ans plus tôt. Depuis la mort de son frère, elle s'était juré de donner ce prénom au fils qu'elle aurait un jour. Son fils se nommerait Karl et il serait blond comme son frère, aurait sa gueule d'ange. Karl Bauer revivrait en Karl Bloch-Bauer. Elle en était persuadée. Elle le voulait tellement qu'il ne pouvait en être autrement. Mais tout cela ne se réaliserait pas. Son enfance partagée avec Karl n'était plus qu'un souvenir douloureux.

Karl était son frère préféré, celui dont elle était le plus proche malgré leurs onze ans d'écart. Sa maladie et sa mort avaient dévasté Adèle. Elle avait prié pour qu'il soit sauvé. En vain. Adèle avait commencé à s'éloigner de la religion à ce moment-là. Elle ne voulait plus en entendre parler. S'il y avait un Dieu, il ne pouvait pas lui enlever son frère adoré avec qui elle partageait discussions et lectures.

Karl protégeait sa sœur au-delà du raisonnable. La légère infirmité d'Adèle, à sa main gauche, incitait parfois à la surprotection. Le jeune garçon l'encourageait dans son émancipation, dans ses apprentissages. Il aimait provoquer la jeune Adèle pour lui apprendre à se défendre, disait-il. Karl recherchait l'esprit fin et rapide de sa sœur. Elle était folle d'admiration pour ce jeune homme beau et docteur en droit qui retardait le moment de se marier. Il était la fierté de la famille. Aurait-il approuvé le mariage d'Adèle avec Ferdinand, de dix-sept ans son aîné ? Karl n'était plus là pour veiller sur elle.

Adèle avait toujours été l'enfant préférée, la dernière-née, celle que personne n'attendait, un cadeau du ciel pour cette famille éprouvée.

L'intimité des confidences a rapproché la mère et la fille. Jeanette se risque à une question délicate :

– Ma fille, dites-moi, êtes-vous heureuse dans votre mariage ?

– Oui, Ferdinand est très attentionné.

– Le chagrin isole chacun avec sa douleur.

– Mon mari est un homme doux, j'admire sa patience avec moi.

– C'est le lot de nous autres femmes, nous devons nous accommoder des malheurs qui nous sont adressés. Les hommes ont leurs occupations qui les distraient des drames. Pas nous. Mira et Karl vivent en moi, ils n'ont jamais cessé d'être présents. Si vous avez un bon mari, vous trouverez le bonheur, mon Adèle, vous aurez d'autres enfants comme j'ai eu vos frères, votre sœur et vous après Mira et Raphaël.

Adèle voit sa vie défiler. C'est à ses noces qu'elle songe maintenant. Quelle émotion lorsque son père Moritz était entré avec elle à son bras, à la synagogue, un an seulement après le mariage de Thérèse avec le frère de Ferdinand.

Le jeune ménage s'est installé au 10 Schwindgasse, dans le 4ᵉ arrondissement de Vienne, à vingt minutes de marche seulement du parc du Belvédère. Adèle s'était réjouie à l'idée d'être proche de ces jardins à la française d'inspiration baroque. Elle aime remonter l'allée de droite jusqu'au Belvédère supérieur pour se remplir des odeurs sucrées et épicées du jardin botanique. Parfois, elle s'arrête pour reprendre son souffle et admirer la parfaite symétrie de l'ensemble et l'incroyable panorama qui surplombe Vienne, avant de redescendre par l'autre allée. Cela l'avait consolée de son éloignement de Thédy et Gustav qui résidaient dans le très chic 1ᵉʳ arrondissement, à quelques encablures de l'opéra. Mais leur immeuble, blanc, a de l'allure avec ses petits balcons et la frise qui orne le troisième étage. Il dispose d'une cour intérieure qui permet de garer la calèche. Il faut emprunter ensuite le couloir vitré pour rentrer dans leurs appartements. Adèle adore ouvrir elle-même l'une des sept fenêtres qui donnent sur l'étroite rue, calme et silencieuse. Elle se sent bien ici.

La générosité de Moritz Bauer, riche banquier de profession, avait été sans limites pour la noce comme pour l'installation des jeunes mariés. Adèle était sa dernière fille, elle n'avait que dix-huit ans, c'était une enfant à la fois frêle et assurée, la plus vive de leurs filles. Le mariage avait été arrangé en trois mois à peine. Adèle était joyeuse à l'idée de quitter le nid familial. En épousant le frère du mari de Thérèse, sa grande sœur de sept ans son aînée, elle rejoindrait cette seconde mère. Depuis le décès de son frère Karl, la maison de ses parents était devenue un tombeau de silence. Jeanette et Moritz Bauer n'avaient pas voulu imposer ce mariage à leur fille, mais ils avaient mis en avant les atouts de Ferdinand Bloch, un riche industriel qui développait ses affaires aussi bien dans la manufacture de sucre que dans l'imprimerie.

Avec lui, l'avenir de leur fille serait assuré, comme sa position sociale. Le futur époux possédait avec son frère une véritable fortune. Il venait de s'établir à Vienne, mais une partie de son cœur et de ses affaires se situait toujours en Bohême.

Le père d'Adèle ne s'était pas totalement remis de la crise financière de 1873. Il avait évité de justesse la banqueroute, contrairement à beaucoup de ses confrères en Europe. Il s'en était fallu de peu pour que lui aussi ne mette la clef sous la porte. Il dirigeait également la compagnie des rails de l'Orient, ce qui lui garantissait une certaine stabilité. Mais les affaires s'avéraient tout de même moins florissantes que par le passé. Celles de Ferdinand présentaient l'avantage d'être moins dépendantes des fluctuations bancaires. Adèle s'était facilement laissé convaincre par ce mariage arrangé, l'amour viendrait sûrement par la suite. C'était la règle dans la société viennoise. Ferdinand n'était pas vraiment attirant mais il n'était pas repoussant non plus, loin de là. Il avait même une certaine allure avec sa stature puissante malgré une taille moyenne, son front dégagé et ses fossettes qui avaient immédiatement plu à Adèle. Son visage inspirait la bonté et l'attachement. Célibataire endurci, tout à ses affaires, Ferdinand avait trente-cinq ans quand il avait rencontré la jeune fille lors du mariage de Thérèse et Gustav. Attendri par son visage doux, il l'avait invitée à danser à plusieurs reprises, elle s'était laissé emporter dans ses bras solides par les valses à répétition. Lorsqu'ils s'étaient éloignés pour bavarder, Ferdinand lui avait parlé de sa passion pour la chasse et pour les porcelaines anciennes. Elle avait trouvé charmant qu'un homme puisse autant s'intéresser à cet art plutôt féminin. Et plus encore, lorsqu'il lui avait murmuré qu'elle était elle-même une porcelaine, fine, tendre et fragile.

Ferdinand Bloch avait fait sa demande un soir de septembre. L'homme d'affaires s'était fait annoncer chez les parents d'Adèle deux heures avant l'heure du souper.

Il avait demandé la permission de s'entretenir avec Adèle en tête à tête pour lui exposer son projet. Chacun, tout en feignant l'ignorance, savait d'avance de quoi il retournait. Saisissant les deux mains de la jeune fille, il lui avait promis de la chérir comme elle le méritait. Il s'était entretenu avec le père, déjà informé par son gendre Gustav. L'union ne faisait pas de doute. Adèle avait été grisée par ce tourbillon. Les familles se réjouissaient de ces noces qui assuraient un avenir aux deux jeunes gens. À peine quatre mois plus tard, elle avait accepté de devenir, comme Thérèse, Mme Bloch. Rarement des fiançailles avaient été de si courte durée : quelques mois seulement ! Alors que celles de Thérèse et Gustav s'étaient éternisées deux années. La plupart des promesses solennelles d'union s'étendaient sur quatre longues années et rendaient fous les futurs mariés. Mais Ferdinand n'était plus un jeune homme, il n'avait plus de temps à perdre. Les parents d'Adèle avaient compris son empressement.

Les noces du couple avaient été fixées au 19 décembre 1899. Une jolie date, à l'orée d'un siècle nouveau qui ne manquerait d'apporter son lot de surprises et de modernité. Un peu plus d'un an après l'assassinat de l'impératrice Élisabeth d'Autriche. Adèle, en jeune fille romantique, avait été affligée par la mort de Sissi. Elle aimait l'indépendance de cette impératrice que ses sujets regardaient avec méfiance, elle était persuadée qu'elle ferait avancer les choses pour les jeunes femmes de l'Empire.

Adèle se préparait pour sa nouvelle vie. Toute sa jeunesse, elle avait enragé de ne pas pouvoir étudier autrement qu'avec des précepteurs. Elle enviait ses frères qui se rendaient, eux, au lycée chaque matin, leur porte-documents à la main. Avec une profession assurée au terme de leurs études. Sa destinée à elle s'inscrivait dans la droite ligne de celle des jeunes filles de la haute bourgeoisie. À force de volonté et de pugnacité, elle avait appris le piano malgré son doigt busqué. Sans jamais obtenir la dextérité nécessaire, Adèle se débrouillait suffisamment pour prendre plaisir à jouer. Elle parlait et lisait le français ainsi que l'anglais, et se laissait envoûter par la grande littérature allemande. On lui avait aussi enseigné l'art de diriger une maison. Mais ce dont elle rêvait, c'était de liberté. Le joug familial lui pesait. Ce mariage tournait la page de son enfance.

Son mari lui avait promis qu'elle choisirait le mobilier qui lui conviendrait. Adèle avait un penchant très marqué pour l'Art nouveau. Ferdinand n'y connaissait pas grand-chose, il collectionnait les porcelaines précieuses du siècle dernier. Son goût en matière de peinture restait bloqué sur l'art du siècle passé. Des familles Bloch et Bauer, Adèle était la seule à être née à Vienne; tous ses frères et sœurs, comme ceux de Ferdinand, avaient vu le jour en Allemagne ou en

Bohême. Cela faisait d'elle une personne différente, décidément originale aux yeux des siens. Elle avait grandi avec le frisson de cet air frais qui soufflait et revigorait Vienne. Sa curiosité était aiguisée. Elle avait dix-huit ans, elle habitait Vienne, elle allait tenir son rang et inventer son avenir.

3. L'origine de la vie

Vous souvenez-vous, Adèle, que l'année dernière nous avions demandé à Klimt de réaliser votre portrait?

– Oui bien sûr, mais il n'avait pas le temps, son carnet de commandes déborde pour les trois ans à venir. Et puis ce serait trop tard pour l'offrir à mes parents, leur quarantième anniversaire de mariage est passé.

– Mais si nous le commandions tout de même, pour nous cette fois?

– Je ne sais pas, Ferdinand, je ne suis pas certaine d'avoir le cœur à poser.

– Où en est celui de Thérèse?

– Max Kurzweil a commencé. Je crois qu'il fait quelque chose d'assez classique. On ne croirait pas qu'il appartient lui aussi à la Sécession.

Ferdinand continue à réfléchir. Les réticences d'Adèle ne sont pas si figées. Il est intrigué par ce peintre qui bouscule l'ordre établi. Le nom de Klimt circule sur toutes les lèvres, il alimente bien des sujets de conversations. Klimt appartient à l'école de l'Art nouveau, il est l'un de ces artistes que la haute société viennoise s'arrache.

Alors pourquoi pas eux aussi ? Pourquoi lui, Ferdinand Bloch, n'aurait-il pas chez lui l'un de ces tableaux ? Un tableau du grand Klimt ! C'est lui qui préside ce mouvement résolument moderniste, composé d'artistes en tout genre. Lui encore qui insuffle cette renaissance des arts et de l'artisanat.

Ferdinand aime la peinture traditionnelle, l'art allemand surtout. Il en possède une belle collection. Mais il pressent que le Sezessionsstil qui secoue tout l'Empire austro-hongrois sera l'art de demain. Et Klimt, comme ce mouvement, correspond tellement à Adèle. Comme elle, il refuse le conformisme.

– M'autorisez-vous à reprendre contact avec lui ?

Adèle sourit.

– Puis-je vraiment vous interdire quoi que ce soit ?

Ferdinand a réussi à convaincre Adèle de rencontrer le peintre. Ils se connaissent déjà. Ferdinand avait autre-fois pris l'initiative de l'inviter à l'une de leurs réceptions. Lorsque Klimt était venu pour la première fois chez les

Bloch, il n'avait eu d'yeux que pour cette maîtresse de maison qui aspirait si élégamment sur son porte-cigarette en or. Elle portait ce collier qui lui rappelait ceux de l'Antiquité et qui lui donnait le même port que la reine d'Égypte. Ferdinand s'était senti flatté que le maître adressât autant de compliments à sa jeune épouse. Il avait suggéré timidement qu'un portrait de sa main lui ferait infiniment plaisir. Klimt avait acquiescé de bonne grâce. En réalité, il n'avait nullement besoin de se faire prier. L'idée de portraiturer Adèle l'avait évidemment effleuré tant la jeune femme l'avait séduit. Ferdinand lui avait laissé entendre qu'il ne mettrait pas de limite financière à cette œuvre future.

Ils sont en chemin pour le Grand Café, là où ils doivent retrouver le peintre. Assis l'un contre l'autre dans le fiacre, un plaid sur les genoux, Ferdinand, tout à sa joie, rappelle à son épouse ce qu'il a ressenti lorsqu'il a découvert les fresques de Klimt et les premières peintures réalisées avec son frère Ernst au Burgtheater lors de son inauguration.
– Quelle modernité! Quel talent! Et vous souvenez-vous de la *Pallas Athéna* lors de la deuxième exposition de la Sécession? Vous étiez tellement enthousiaste, Adèle!
– Oui c'est vrai. Mais je crois que c'est la *Frise Beethoven*, trois ans après notre mariage, qui nous a définitivement convaincus de la naissance d'un nouveau génie à Vienne.

Le couple était resté des heures devant les trente-quatre mètres de fresque représentant, en différents chapitres, le parcours de l'humanité. Adèle avait été subjuguée par les créatures symbolisant la maladie, la folie, la mort, tandis que Ferdinand s'était laissé emporter par la grâce du couple enlacé dans un désir que rien ne pouvait freiner. Les Bloch avaient soutenu cette œuvre d'art que d'aucuns voulaient interdire aux jeunes filles.

Adèle et Ferdinand s'installent à une table à l'écart et attendent le peintre.*
– Rendez-vous compte, il a reçu la Croix d'or du mérite artistique des propres mains de l'empereur François-Joseph.
Adèle coupe court aux commentaires de son mari.
– Ha! Le voici!
Ferdinand se lève aussitôt pour l'accueillir, se confond en formules de politesse. Gustav Klimt baise la main d'Adèle et masque sa surprise devant sa tenue de grand deuil.
Une fois actée l'idée du portrait, ensemble ils évoquent la façon dont le peintre imagine la toile.
– Il me faudra d'abord réaliser des études, je vais avoir besoin de vous, madame Bloch. Mais je dois avant honorer un voyage en Italie, à Ravenne, Venise et Florence.
Adèle reste très en retrait, elle laisse Ferdinand mener la conversation. Elle l'entend dire à Klimt qu'il pourrait devenir l'un de ses mécènes tant il aime son art, sa peinture

symboliste. Mais elle se laisse gagner par l'enthousiasme de
son époux et le charisme de Klimt. Il doit déjà commencer
à imaginer ce portrait.

Le premier rendez-vous de travail arrêté pour le mois
suivant, le couple Bloch prend congé. Ferdinand aide Adèle
à s'installer dans le fiacre mais ne la rejoint pas.
– Attendez-moi une minute, j'arrive.
Ferdinand rentre à nouveau dans le Grand Café, retrouve
Klimt plongé dans la lecture du journal.
– Cher Klimt, il aurait été inconvenant de vous en parler
devant mon épouse, mais ce portait est vital. Il faut m'aider
à la ramener à la vie, à la sortir du deuil de notre enfant. Je
crains qu'elle ne sombre dans la neurasthénie. Vous saurez
le faire, j'en suis convaincu.

Ce jour-là, Adèle se sent vivante.
Elle se rend à une nouvelle séance de pose dans l'atelier
de Gustav Klimt. Comme lors des fois précédentes, elle
porte cette robe qu'elle aime tant, jaune et beige, moirée en
tulle de soie soutenu par un organdi. Le fourreau se perd
au milieu d'une traîne très vaporeuse qui tombe jusqu'à
terre et lui donne cette impression de force et de fragilité.
Elle arbore aussi ce somptueux collier, composé de plusieurs rangs de perles, celui qui met tant en valeur son cou
gracile. Klimt est fils d'orfèvre et il aime reproduire ces

parures extraordinaires, aussi majestueuses que celles qui appartiennent aux reines.

La longue chevelure noire d'Adèle est relevée en un chignon imposant et asymétrique. Elle se sent légère, elle ne s'est pas sentie ainsi depuis si longtemps. Comme si l'art de Klimt s'était répandu en elle en une force régénératrice. Voilà plusieurs mois qu'elle a accepté d'être le modèle du peintre. Il est si moderne, si différent des autres, il est un génie transcendant les règles académiques pour un art qui exprime le pire et le plus beau de la vie.

Si elle le pouvait, Adèle changerait d'époque elle aussi. Elle rêve toujours de liberté et d'évasion auxquelles elle n'a pas accès malgré le monde privilégié dans lequel elle vit. Prendre la pose pour le maître la distrait. Elle aime sa présence silencieuse autant que sa conversation. Adèle se fait conduire par son cocher dans la voiture à deux chevaux, Josefstäder Straße, dans le 8ᵉ arrondissement. Ce n'est pas si loin de chez elle, mais elle veut faire durer cette attente. Elle demande à passer par la Hofburg, regarde les bâtiments majestueux du palais impérial immuable comme pour se souvenir de sa propre existence. Puis le fiacre reprend sa route en direction de l'atelier, un alignement de maisons bourgeoises et baroques, presque toutes semblables les unes aux autres. Adèle ne les voit pas, elle a cette capacité à pouvoir s'évader en elle-même. Elle laisse les pensées mélancoliques la submerger, elle y prend un certain plaisir. Comme si sa vie avait désormais besoin de ce chagrin persistant pour trouver un sens.

Elle pousse le portillon vert qui ferme l'accès du jardin. Il grince un peu. Au fond de ce jardin, le petit pavillon abrite l'atelier de Gustav Klimt. Le peintre n'est pas sur le perron pour l'accueillir comme il le fait parfois. Elle est déçue mais ne veut pas se l'avouer. Il doit être occupé. Ou bien il n'a pas vu l'heure. Ça lui arrive souvent lorsqu'il est absorbé par ses créations.

Adèle s'approche, contourne le bâtiment, jette un œil à travers une fenêtre. Elle l'entr'aperçoit. Il a sorti l'étude qui sert de base au portrait et préparé ses pinceaux. La toile est posée sur le chevalet; elle est d'assez grande taille, cent trente-huit centimètres sur cent trente-huit. Un carré parfait alors que le portrait semble s'étirer sur la longueur. Adèle hésite. Allez savoir pourquoi, elle a envie de faire durer cette attente. Elle le regarde, l'observe, le devine. Il porte cette grande blouse bleue de peintre, avec des fronces partant du col et des manches larges qui lui procurent l'aisance nécessaire pour manier ses pinceaux. En fait, il s'agit presque davantage d'une robe que d'une blouse. Elle tombe loin sous les genoux, lui donne une allure toute particulière et accentue sa robustesse.

51

Soudain il se retourne. Elle ne s'y attendait pas. Ses joues rosissent, les battements de son cœur s'accélèrent. Il lui ouvre la porte.

– Adèle, mais que faites-vous là, entrez donc!

– J'allais justement frapper.

– Vous ai-je fait attendre?

– Non, non rassurez-vous, j'arrive à l'instant. Franz vient de me déposer.

– Donnez-moi votre pelisse et votre chapeau.

L'hiver a commencé à se retirer doucement, mais il fait encore froid en ce mois de mars 1905. Adèle a quitté sa fourrure de vison et porte un simple manteau en drap de laine au col de renard argenté. La végétation n'a pas repris ses droits, le printemps se fait attendre. Aucun bourgeon n'est encore visible sur le marronnier qui s'élève si fièrement au milieu du jardin. Adèle frotte ses bottines boutonnées pour faire tomber la terre collée sur ses talons.

Klimt a préparé une flambée pour réchauffer la pièce. Il a saisi le manteau de son modèle en l'effleurant au passage, puis a accroché le vêtement dans l'entrée.

– Voulez-vous que je vous fasse servir du thé?

– Volontiers cher Gustav, dit-elle en retirant ses longs gants en chevreau de couleur grège.

Adèle prend soin de cacher son annulaire si distordu. Elle est née avec ce léger handicap qui la complexe au plus haut point. Son annulaire est difforme. Son regard s'y est habitué, celui des autres non. Les autres enfants la traitaient de « doigt crochu ». Il lui arrive fréquemment de surprendre des yeux posés sur cette infirmité pourtant bénigne. Thérèse, sa sœur aînée, pensait pouvoir le lui redresser. Elle lui attachait une attelle et tentait de corriger le doigt malheureux. Adèle n'osait pas lui parler de sa souffrance, jusqu'au jour où leur mère avait surpris l'opération clandestine et demandé à Thérèse de ne plus renouveler cet acte de torture. Il faut apprendre à vivre avec ce que la nature a voulu, c'était ainsi. Il n'y a pas de hasard. Elle a appris à surmonter sa honte, à masquer cette disgrâce.

Klimt paraît pressé, presque agité. Il est étrange dans son comportement. Tout en lui semble s'opposer. C'est un homme impérieux, capable de douceur. Un homme qui veut aller vite mais qui suspend le temps.

– Votre mari ne cesse de me harceler pour que j'achève votre portrait.

– N'écoutez pas Ferdinand, il attendra le temps qu'il faudra. Il me voit déjà chaque jour que Dieu fait. Alors il peut patienter avant d'avoir mon portrait sous ses yeux !

– Je ne peux pas mécontenter l'un de mes principaux mécènes.

– Alors mettons-nous au travail, puisqu'il est le commandeur.

— Savez-vous que vous êtes encore plus ravissante que la dernière fois ? Vous êtes éblouissante.

— Gustav ! Vous m'embarrassez lorsque vous me complimentez, vous le savez bien…

Hermine frappe et sans attendre la réponse, pénètre dans la pièce. C'est à peine si elle jette un œil sur Adèle, dépose le plateau, le thé fumant et les tasses sur la table, puis s'en va aussitôt. Il y a tant de mouvements et passages dans cet atelier que la domestique de Klimt ne prête plus attention aux sujets. Klimt sert lui-même Adèle, lui demande si elle prend du sucre et sans attendre la réponse se lance sur un autre sujet.

— Il me semble que votre chignon n'a pas exactement la même allure que la dernière fois ?

— Hannah, ma femme de chambre, a repris scrupuleusement le même modèle. Elle compte même le nombre d'épingles !

Adèle se place derrière la toile, retrouve ce fauteuil devenu familier. Il est en bois de merisier mais sous les pinceaux de Klimt, il se transformera en or. Comme la robe. Elle est très ample, donne une impression de rigidité et pourrait presque ressembler à un manteau. Elle n'est pas dorée mais de ce jaune qui évoque la lumière et l'éternité. De ce jaune symbole des cérémonies et des mariages durant l'Antiquité, cette période qui fascine Klimt. La robe est faite de pièces géométriques. Le peintre a réalisé une centaine d'études avant de se sentir satisfait. Il lui a fallu près d'une année pour obtenir ce résultat. Tous les croquis sont entreposés sur un coin de son divan dans un grand désordre. Impossible de comprendre de quelle façon il peut s'y retrouver. Certains dessins sont réalisés au crayon noir, d'autres à la mine de plomb.

Depuis quelque temps, le maître se fait livrer du papier du Japon par un marchand de thé. Il a d'abord envisagé de peindre Adèle debout, puis de face et finalement de trois quarts. Sur certains de ses dessins, le haut du visage d'Adèle disparaît. Sur un autre, elle est assise, mais dans une autre pose. Elle est accoudée sur le bras du fauteuil et se maintient le visage de la main gauche. Puis le mouvement des mains est inversé. Parfois, elles apparaissent à peine. Tiens, sur celui-là, Klimt n'a dessiné qu'un œil, alors qu'il en a représenté quatorze sur la robe! Sur cet autre dessin, le visage est dans le flou total mais Adèle porte un boléro, elle n'a pas les épaules nues, pas de décolleté non plus. Chaque dessin apporte un changement parfois à peine perceptible sauf à l'œil aguerri de Gustav. Les mains surtout ont préoccupé l'artiste. Leur position bouge d'une étude à l'autre. Le trait de crayon est tantôt noir, tantôt violet. Lorsque Klimt entre dans sa phase créatrice, éruptive, il saisit ce qui se présente à lui et rien ne l'arrête. Il a même esquissé des croquis au dos de factures ou sur le moindre papier d'emballage.

Il veut faire de ce projet une œuvre exceptionnelle, plus remarquable encore que tout ce qu'il a réalisé jusqu'alors.

Klimt est l'un des rares hommes à s'intéresser aux vêtements féminins ainsi qu'aux matières ; il se concentrera sur la robe. Sa compagne, Emilie Flöge, est créatrice de mode ; elle a ouvert depuis un an avec sa sœur un salon de haute couture où se pressent les Viennoises de la bonne société. Parfois Klimt dessine des motifs pour elle, qu'elle fait reproduire par les fabricants d'étoffe. Le salon situé Mariahilfer Straße, l'une des rues les plus fréquentées de Vienne, ne cesse de prendre de l'ampleur. Adèle s'est laissé dire que l'atelier comptait désormais près d'une cinquantaine de couturières et qu'il était connu jusqu'à Paris.

Adèle prend donc la pose, elle vérifie que les plis de sa robe tombent parfaitement, qu'aucun ne rebique. Elle se cale contre le petit coussin puis tourne légèrement le buste à gauche. Gustav Klimt s'approche de la jeune femme, d'un léger mouvement de son index, incline le menton de celle-ci. Une once de silence s'installe entre eux deux. Leurs regards se croisent, Adèle, troublée, baisse les paupières.

– Si nous commencions ? Franz vient me chercher dans deux heures, disposerez-vous de suffisamment de temps ?

– Je m'en contenterai pour cette fois, commençons. Je prépare mes couleurs, installez-vous.

Habituée aux intérieurs chargés de meubles et de tentures, Adèle embrasse du regard cette pièce si étrange pour elle. Il n'y a rien ou presque. Quelques toiles inachevées dans un coin. Une commode et une armoire. Une table aux multiples tiroirs, conçue sur mesure spécialement pour lui par Josef Hoffmann, sur laquelle le maître installe son matériel et ses chiffons. Ses tubes de couleurs sont répartis dans deux boîtes. Cinq dans chacune. Rien de superflu. Juste l'essentiel, comme ce carnet rouge d'esquisses, toujours à portée de main.

Le dépouillement de l'endroit reflète désormais la vie du peintre. Et ce grand divan qui ressemble davantage à un lit recouvert de dessins épars... Adèle préfère se convaincre qu'il lui sert de lit de repos lorsqu'il a trop travaillé. Elle a entendu dire que la pièce la plus proche de son atelier servait de réserve à femmes. L'endroit où les modèles attendent et se déshabillent quand le peintre a besoin de l'une d'entre elles pour ses créations, ses inspirations. À moins que ce ne soit pour autre chose... Elle chasse aussitôt cette idée de son esprit. Elle passe toujours de l'autre côté de l'atelier, là où il conserve cet affreux squelette, juste avant le salon de réception réalisé par Hoffmann. Adèle continue à détailler l'endroit singulier, devenu familier. Parfois quand elle arrive, elle s'attarde devant sa collection d'estampes japonaises et chinoises habillant les deux murs qui se font face. Elle aime deviner les sources d'inspiration du peintre. Elle voudrait pouvoir comprendre comment autant de talent peut émerger d'un seul homme. Et dire que certains, dans Vienne, prétendent qu'il est un cerveau malade…

C'est lui désormais qu'elle observe. Elle le croit absorbé par la préparation de ses couleurs, mais il sait qu'elle le regarde intensément. À quarante-trois ans, il n'est pas vraiment beau. Son collier de barbe masque ses lèvres ourlées. Il est un peu empâté. Il a déjà perdu une partie de ses cheveux qu'il rejette vers l'arrière. Sur le sommet de son front, une houppette forme comme un îlot qui se serait détaché de la terre ferme. Il émane de lui autre chose que de la beauté : une force, une concentration intense, extrême, entière. Comme si rien ne pouvait l'atteindre. Il plisse alors les yeux, les maintient à demi fermés, ses pattes d'oie se creusent. Ses pupilles situées bien au fond des orbites prennent une forme différente, s'élargissent pour déployer une acuité visuelle de rapace. Parfois un rictus vient déformer l'expression de sa bouche. Il semble si loin, là où le génie le porte.

La jeune femme est subjuguée par cet homme, issu d'une autre classe, inférieure à la sienne. Mais loin d'en éprouver un complexe social, il en revendique une grande fierté, celle d'avoir réussi seul, malgré ses origines. Son père, orfèvre ciseleur, connaissait des mois difficiles. La famille, composée de sept enfants, avait parfois le ventre vide. Il a vécu dans les faubourgs, il sait d'où il vient. Il ne l'oublie pas même si, aujourd'hui, tout ce que Vienne compte d'aristo-crates et de grands bourgeois se prosterne devant lui. Même l'empereur François-Joseph le salue personnellement.

Il est devenu en une quinzaine d'années l'un des artistes qui permettent à l'Autriche-Hongrie de rayonner dans l'Eu-rope entière. Il ne minimise pas ce qu'il doit à l'École des arts et métiers de Vienne – qu'il a intégrée grâce à une bourse dès l'âge de quatorze ans et où l'a rejoint un an plus tard son frère Ernst – et à son maître Ferdinand Laufberger qui l'a formé. Klimt affiche cette liberté qu'Adèle ne peut revendiquer en tant que femme. Il s'est affranchi de toute convention sociale, accumule les maîtresses, assume son libertinage.

Adèle écarte cette dimension si loin de la bienséance. Ce qui la captive plus que tout, c'est son altérité autant que son érudition ; il lit Goethe et Dante qu'il n'a pas étudiés à l'école, en déclame des passages par cœur. Il est toujours à l'affût des nouvelles influences jusque dans son langage. Même quand il utilise des mots de dialecte viennois, Adèle, habituée aux phrases raffinées et aux conversations policées, trouve cela séduisant.

Pour se donner une contenance, elle ajuste son collier. Celui que Ferdinand lui a offert pour leur premier anniversaire de mariage. L'industriel avait emmené sa jeune épouse chez les plus grands joailliers. De Paris à Vienne, la mode était aux colliers de chien. Ces parures faites de pierres précieuses ou de perles fines qui enserrent le cou de sa naissance au menton, celles qui ne permettent plus de déposer un baiser sur cette zone chargée de tant d'érotisme, jusqu'au moment où le bijou est retiré. Adèle avait hésité sur la couleur des pierres précieuses. Ferdinand voulait le plus beau, le plus éclatant pour son aimée. Il avait délicatement orienté son choix vers la pureté des perles fines. Discrètement, il avait murmuré quelques mots à l'oreille du joaillier pour faire ajouter quelques rangs, encore quatre ou cinq. Sa fortune le lui permettait. Sa générosité aussi. Son amour plus encore. Le délai serait seulement un peu plus long. Qu'importe. Il avait fallu près de huit mois avant la livraison du bijou.

Adèle ne s'attendait pas à une telle parure. Le collier de type ras-du-cou était haut de près de douze centimètres, serti de diamants et de quatre corindons, deux saphirs et deux rubis de cinq carats chacun. Mais le plus impressionnant était ce tissage de perles fines sur un fond rigide en or pur. On pouvait compter quatorze rangs de perles de cinq millimètres chacune. Il y en avait près de cinq cents, une véritable fortune. Une pièce unique spécialement conçue pour Adèle. Le cadeau avait trois ans et semblait provenir d'une autre existence.

Quand l'idée du portrait fut acquise, Gustav Klimt insista pour qu'elle portât ce collier. Il n'avait pas voulu de bague ni de boucles d'oreilles mais des bracelets, dont l'un en forme de manchette, qui là encore lui rappelait ceux de l'Antiquité. Comme ceux qu'arboraient les guerriers avant que les femmes ne s'en emparent comme ornement. Celui d'Adèle était ciselé et travaillé en repoussé, martelé sur l'arrière pour dessiner des formes géométriques. Les deux autres bracelets, portés plus haut sur le même bras, le gauche, étaient plus rigides et fins, et laissaient entrevoir deux lignes perlées. Klimt avait voulu Adèle telle qu'il l'avait vue la première fois, fragile et dominatrice à la fois. Pour cette troisième séance de pose, ils n'ont plus à faire connaissance. Leurs conversations sont parfois parsemées de longs silences. De cette sorte de silence que seule la complicité génère et tolère. Celui qui ne crée ni gêne ni ennui, celui qui unit.

Adèle adore interroger Klimt sur le fourmillement intellectuel et artistique de la capitale autrichienne. Elle lui a fait raconter une deuxième, puis une troisième fois la création de la Sécession. Peut-elle prendre la liberté de parler ? Il lui a demandé de se tenir tranquille depuis qu'elle a pris la pose. Adèle, souvent, agite ses longs bras si fins lorsqu'elle évoque un sujet qui la passionne. Elle ne peut s'en empêcher, son corps accompagne ses paroles dans un ondoiement gracieux. Même si elle prend toujours soin de masquer ce doigt malheureux.

– Gustav, me permettez-vous de vous poser une question?

Klimt aime prendre des airs d'ours bourru comme s'il devait obéir aux exigences de sa réputation.

– Seulement si vous maintenez votre regard de biais.

– Gustav, n'avez-vous jamais eu envie d'être père?

Et ajoutant avec un brin de malice:

– Je veux dire officiellement père.

Klimt, dans un premier temps, semble ne pas avoir entendu la question et reste silencieux. Il déteste qu'on l'interroge sur sa vie. Il déteste répondre aux questions d'une manière générale. Quelques secondes s'écoulent tandis qu'il continue à peindre.

Adèle n'ose pas réitérer sa question. Sans qu'elle ne s'en rende compte, elle baisse les épaules.

– Tenez-vous droite ma chère, relevez votre buste.

Adèle s'exécute.

– Les nouvelles vont vite à Vienne. Il semblerait que je sois déjà père… Mais que voulez-vous que je fasse de marmots? Ils m'encombreraient. J'ai besoin de temps et de concentration, je n'ai nulle envie d'entendre brailler autour de moi. Encore moins qu'on vienne tripoter mon matériel, mes pinceaux, mes toiles. Mon Dieu non, qu'on me garde de ce malheur! Je n'aime que leurs mères, je ne connais rien de plus attirant qu'une femme qui va donner la vie avec son ventre et ses seins tendus, gonflés comme des pommes d'amour. C'est ça pour moi l'érotisme, l'amour, le sexe féminin. Éros symbolise l'origine de la vie. D'ailleurs, j'ai peint une femme enceinte. Je l'ai appelé *L'Espoir*. Donner la vie provoque la mort irréductiblement. Connaissez-vous cette toile? La future mère est nue évidemment, dans sa grande beauté. Une splendeur!

Cette dernière phrase trouble Adèle. Elle songe à sa grossesse passée et à celle qu'elle espère constamment. Elle entend aussi tout de ce qu'il se murmure à Vienne de la vie bien peu conventionnelle de Klimt. Il collectionne les aventures, dit-on, ses modèles la plupart du temps, et essaime des enfants naturels. Il ne les couche pas seulement sur ces toiles, affirment ses détracteurs, mais dans son lit, celui qui se trouve juste derrière elle. Adèle a entendu déferler les murmures de la ville; elle préfère reprendre le fil de la discussion comme s'il s'agissait d'un échange sans conséquence.

– Mais n'avez-vous pas envie de léguer votre œuvre?

– Qui sait ce qu'elle vaudra dans un siècle? Peut-être plus rien. Ce qui m'importe n'est pas le commerce mais l'art, uniquement l'art. Je ne cherche pas la popularité, elle ne m'intéresse pas. Vous aimez comme moi Schiller: « Si tu ne peux plaire à la foule par tes actions, contente-toi de plaire à une poignée de gens. Plaire à la multitude est un mal. »

– Gustav, ne faites pas l'enfant gâté, votre cote ne cesse de grimper, on ne jure que par vous à Vienne et dans l'Europe entière. Votre œuvre est partout dans la ville, du palais de la Sécession au Burgtheater. Et j'en passe! Vous êtes déjà dans l'histoire de la peinture, alors ne jouez pas le faux modeste, cela ne vous convient pas du tout!

– Alors pourquoi des descendants? Avant de mourir, mon frère Ernst m'a confié sa femme et sa fille. Jusqu'à mon dernier souffle, je ne dérogerai jamais à son vœu. Je serai là pour eux quoi qu'il arrive. La fille de mon frère est désormais comme ma fille.

– Vous êtes un homme d'honneur, Gustav.

Adèle sent que son esprit s'est échappé.

– Ma chère, c'en est terminé pour aujourd'hui. Je vous raccompagne.

Le ton est sec, impérieux. Aucune contestation possible. Il saisit son manteau, l'aide à l'enfiler et la raccompagne à travers le petit chemin. Voit-il qu'Adèle se mord les lèvres, désolée d'avoir engagé une conversation qui visiblement l'a contrarié?

Mais le maître saisit la taille d'Adèle tout en la guidant vers la grille d'entrée. Un frisson la parcourt jusqu'au creux des reins. Elle est soudain pressée de rentrer, de s'enfermer dans sa chambre et de penser à tout ce qu'ils se sont confié au cours de cette séance.

Franz est là, devant la voiture ; Klimt baise la main d'Adèle. Elle lui adresse un dernier salut tandis que son regard lui envoie mille autres choses.

En chemin, Adèle se fait le reproche d'avoir engagé cette discussion. Le frère de Klimt est mort il y a plus de douze ans maintenant, mais la plaie semble toujours à vif. Adèle a appris la période dépressive qui s'est abattue sur Klimt après ce deuil. Il avait abandonné sa peinture comme d'autres déposent les armes. Chacun s'était alors demandé si le frère inconsolable allait pouvoir un jour se remettre à son art. Il y était revenu avec plus de talent encore, rompant avec son style antérieur, empreint d'historicisme, pour un symbolisme surprenant. De sa plongée dans les abîmes, il avait puisé une richesse nouvelle. Mais l'absence d'Ernst le hante encore. Comme elle le comprend…

4. Un peu de violoncelle

Voici plus d'un an qu'Adèle et Ferdinand portent le deuil de leur enfant. L'affliction qui a terrassé la jeune femme en mai après le décès de son père s'estompe. Adèle a repris espoir. Elle n'a que vingt-quatre ans après tout. Elle s'impatiente de retomber enceinte. Un nouvel enfant comblerait cette absence intolérable, atténuerait son désespoir. Thérèse a donné naissance à un troisième garçon. Comme tout est facile pour sa sœur.

Chaque mois, l'espoir d'une grossesse étreint Adèle. Elle guette depuis plusieurs jours les signes que lui envoie son corps. Elle jurerait que sa poitrine a gonflé, que la pointe de ses seins est plus dure, plus conquérante. Plus sensible aussi comme les fois précédentes. Elle prend ses seins dans la paume de ses mains, vérifie ce qu'elle ressent. Elle regarde encore une fois son buste dans le miroir de sa chambre. Oui tout est différent. Non, elle ne sait plus. Mais ne perçoit-elle pas quelques douleurs, des tiraillements lancinants ? Comment faire la différence entre les douleurs situées au bas de l'abdomen qui annoncent ses menstrues et celles des premières semaines de grossesse... Si cette fois-ci était la bonne ? Si, enfin, aucune empreinte de sang ne venait anéantir son vœu le plus cher. Elle n'en peut plus, chaque mois, de ces saignements qui ruinent ses espoirs. Elle aimerait tant annoncer à Ferdinand qu'elle porte à nouveau un héritier qui succéderait à Fritz.

Ferdinand passe le plus clair de son temps loin de Vienne, ses manufactures ne cessent de prendre de l'ampleur. La veille, au dîner, il se félicitait encore de devoir embaucher une dizaine d'ouvrières. Toute la ville raffole des Wiener Seidenzuckerl, ces fameux bonbons de Vienne doux comme de la soie. Les commandes de sucre augmentent. Quand Adèle se promène dans la Zuckerlwerkstatt et voit tous ces confiseurs, elle est fière de penser que les bonbons et sucettes sont fabriqués grâce au sucre produit par les manufactures de son mari. La recette a déjà deux siècles, combien de temps cela durera-t-il encore ? D'autres jours, elle aurait préféré que Ferdinand occupe un emploi plus intellectuel qu'il pourrait exercer dans la capitale de l'Autriche, comme Gustav, le mari de Thérèse. Gustav a des parts dans les manufactures, mais il est avocat et davantage présent auprès de sa femme.

Adèle se sent si souvent seule à attendre les présages d'une grossesse qui ne vient pas. Elle palpe à nouveau ses seins et c'est l'image de Klimt qui apparaît devant elle. Quelle idée! Elle lâche aussitôt sa poitrine saillante. L'idée de penser à cet homme tandis qu'elle examine son propre corps de ses mains soudain la dérange. Elle imagine son regard perçant posé sur elle. Son visage s'empourpre et brûle. Elle chasse cette idée, c'est le souvenir de cette conversation avec Klimt sur les femmes enceintes qui a provoqué cet enchaînement d'idées.

Adèle quitte le grand miroir pour la coiffeuse. Elle doit se préparer pour sa réception à Schwindgasse. C'est la première depuis le drame, sa réapparition dans le monde. Elle veut que Ferdinand soit fier d'elle, elle veut lui montrer qu'elle a réappris à vivre.

Adèle se maquille avec minutie, choisit un rouge à lèvres plus soutenu pour l'occasion. Elle saisit son poudrier, s'empare de la houppette qu'elle passe délicatement sur son visage avec un geste sûr. Une nouvelle fois, l'image de Klimt surgit, peignant à même sa peau. Elle aperçoit dans le miroir le grand vase en opaline orné de fleurs jaune, rouge et bleu. Ses couleurs vives ne l'inspirent plus, ne lui plaisent plus. Ses goûts ont évolué. L'influence de Klimt, peut-être? Pourquoi revient-il systématiquement dans ses pensées ? Adèle n'est plus la petite épouse de dix-huit ans qui acquiesçait à chaque suggestion de Ferdinand. Ses avis sont désormais plus tranchés. Le vase est démodé, elle aimerait des porcelaines plus modernes. Elle en parlera à Ferdinand. Elle a vu chez l'une de ses amies des créations de Moser, c'est cela qui lui plaît.

Quelle tenue choisir ? Ils seront tous là ce soir, Arthur Schnitzler, Hugo von Hofmannsthal, Stefan Zweig, les écrivains de la Jeune Vienne mais aussi Richard Strauss et Gustav Mahler, les musiciens en vogue et les Wittgenstein aussi, et puis encore Sigmund Freud dont on parle de plus en plus. Et Gustav Klimt bien sûr. Adèle ne se souvient plus des traits du peintre alors que quelques minutes plus tôt, il apparaissait nettement dans sa rêverie. Tout se brouille dans son esprit, elle ne retrouve pas son visage. Il se fond dans celui de Ferdinand. Les faces des deux hommes sont comme superposées, à la façon des couleurs que le peintre mélange d'un coup de pinceau. Elle a beau tenter de fouiller dans sa mémoire, elle ne parvient pas à retrouver l'intensité du regard de Klimt. C'est à peine si elle pourrait définir la couleur de sa barbe, la forme de ses sourcils. Quelle étrange sensation…

Adèle se ressaisit et se concentre à nouveau sur la liste des tâches à accomplir. Ce soir la plus belle vaisselle a été sortie. Les verres à pied gravés en cristal de Bohême trônent sur les tables, près des seaux à glace Baccarat de couleur rose au décor de vigne, avec la ménagère Napoléon III. Le service en porcelaine précieuse a soigneusement été choisi par Ferdinand ; c'est le seul élément sur lequel il donne son avis. Adèle veut montrer à tous qu'elle sait tenir son rang de maîtresse de maison. Elle a vérifié une dernière fois les arrangements floraux. Elle tient à ce que les fleurs s'élèvent sur de longues tiges, qu'elles soient deux fois plus longues que le vase. Elle veut deux bouquets par pièce ainsi que des centres de tables. Il faut que les couleurs soient harmonieuses. Ce soir, Klimt sera là. Elle a demandé beaucoup de jaune… Le remarquera-t-il seulement ?

Elle fait confiance à la cuisinière rôtisseuse en chef, qui avait déjà officié chez ses parents. Ce soir, elle a prévu de la selle d'agneau servie avec des pommes de terre boulangères, du chaud-froid de jeunes poulets et des petits soufflés strasbourgeois tels qu'on les sert chez l'empereur. Les vins fins venus de Bordeaux colorent les carafes de leur robe pourpre et sont autant de promesses. Comme toujours, il y aura trop de mets, en trop grande quantité, beaucoup de saveurs nouvelles et d'ingrédients rares. Mais elle veut combler ses invités ; ils seront près de soixante-dix, il n'est pas question de manquer. Avant la mort de Fritz, son salon était l'un des plus courus de Vienne ; tout doit être parfait pour qu'il retrouve son lustre et sa réputation.

Il lui reste à peine une heure avant l'arrivée des invités. Sa cameriste l'attend à l'entrée de sa chambre, tenant religieusement sur ses avant-bras la robe mauve en soie que madame a prévu de revêtir ce soir. Comme s'il ne devait rien y avoir de plus précieux à cet instant précis.

Adèle enfile la tenue qu'elle portera pour la première fois. Depuis l'adolescence, Adèle a appris à jouer des couleurs, des matières et des formes comme d'un langage, celui des femmes, de la séduction et du rang à tenir. Sa robe lui maintient la taille qu'elle a si fine, et met en valeur son buste gracieux, l'étoffe chatoyante tombe impeccablement. Elle gardera ses bras nus. Elle se sent belle. Ne reste qu'à enfiler les pendants d'oreilles en or, émail, améthystes et perles fines. Ferdinand frappe à sa porte, les premiers invités ne vont pas tarder à arriver, elle devrait se dépêcher un peu. Il est saisi par son allure. Leurs regards s'émerveillent d'être vivants, jeunes et riches. Adèle lui décroche un sourire comme elle n'en avait pas adressé à Ferdinand depuis longtemps.

Le couple Bloch accueille ses hôtes dans le hall d'entrée. Thérèse et Gustav sont les premiers arrivés. Le frère de Ferdinand est venu avec son stradivarius. La soirée se terminera immanquablement par un concert qui enchantera l'assemblée.

Le salon s'est rempli peu à peu. Les maîtres d'hôtel, en gants blancs, se glissent entre les invités avec leur plateau chargé de coupes de vin de Champagne. Gustav Klimt est arrivé, méconnaissable en habit avec sa chemise au col cassé. Il est en grande conversation avec Arthur Schnitzler. L'écrivain confie au peintre qu'il a commencé ce qu'il considère comme son grand œuvre. Il en connaît déjà le titre. Il s'appellera *Vienne au crépuscule*. Il n'aime pas l'atmosphère nauséabonde qui s'abat sur la ville comme une impénétrable nappe de brouillard. Mais Adèle tient à ce que sa soirée soit une fête, elle ne veut pas de conversations moroses. Elle le dit aux deux hommes, qui ne résistent pas à son sourire.

Un autre groupe discute encore de l'affaire Dreyfus. Thérèse se félicite que l'affaire se termine en France.
– Elle faisait des ravages jusqu'à nos portes. Je n'en pouvais plus !
Dans les cafés, les salons, les conversations s'enflammaient à tout bout de champ dès que le nom du capitaine Dreyfus était prononcé.
Freud et Schnitzler sont plus calmes ce soir, maintenant que l'affaire s'éloigne. Mais l'un comme l'autre sont persuadés que l'antisémitisme a creusé de profondes cicatrices. Avant de clore la conversation, Schnitzler accuse encore ce Karl Kraus de dénigrer ce qu'il appelle l'« esprit juif ».
– Allons messieurs, cessons là les polémiques, le capitaine Dreyfus va être réhabilité, d'après ce que me dit Ferdinand, déclare Adèle.

Puis se tournant vers Freud qui vient de se joindre à leur petit groupe :

– Professeur, on ne parle que de vous avec vos *Trois Essais sur la théorie sexuelle*. Il semblerait que vous déclenchiez les passions.

Freud n'a pas le temps de répondre que Gustav Klimt saisit l'occasion de riposter. L'un et l'autre peuvent rivaliser en matière de polémiques.

– Le sexe régit toute notre vie, le moindre de nos comportements, n'est-ce pas, cher Sigmund ?

Freud opine de la tête. Il aime les compliments.

– Ha ! Voilà Gustav qui va nous jouer un peu de violoncelle !

Adèle entraîne son petit monde vers un autre salon, dans lequel Gustav Bloch est installé avec son instrument et Gustav Mahler au piano. Les premières notes de la sonate n° 16 en *la* mineur de Schubert s'élèvent, miraculeuses. Assise sur le sofa, à proximité des musiciens, Thérèse est fatiguée. Elle n'a encore rien dit à Adèle, elle n'ose pas. Elle se sent coupable d'être là, dans la maison de sa sœur, convaincue d'attendre son quatrième enfant. Adèle semble si heureuse à virevolter au milieu de ses invités, dans son salon qui a retrouvé son éclat. « Elle est si belle », pense Thérèse.

5. Judith

A dèle s'accorde une promenade dans le parc du Belvédère en compagnie de Gustav Klimt. C'est la première fois qu'elle le voit en dehors de son atelier ou d'une réception mondaine. Le peintre l'a rejointe à l'entrée des jardins, baignés par la blancheur d'un soleil d'hiver. Ils se sont donné rendez-vous au portail sud, sous les sphinx de pierre à la tête de femme et au corps de lion. Ils redescendent vers le Belvédère inférieur.

Dans l'allée centrale, après une centaine de mètres, ils contournent une branche de hêtre tombée après une violente tempête. Cet épisode réveille en elle l'un de ces événements mineurs qui peuvent prendre une importance considérable dans notre mémoire sans que l'on sache pourquoi. Cela s'était passé lors de son voyage de noces en Italie, dans les Pouilles, avec Ferdinand. Un matin, elle a découvert que le figuier dont les longues branches pénétraient presque par la fenêtre de leur chambre d'hôtel avait été abattu. Il regorgeait de ces fruits défendus si délicieux, au parfum enivrant. Bien sûr, en sortant, il fallait prendre des précautions pour ne pas marcher sur les figues mûres tombées pendant la nuit et dont la robe satinée avait été déchirée en s'écrasant sur le sol. Le pavé était jonché de cette pulpe devenue poisseuse et glissante. Mais Adèle se délectait de ce fruit sucré, dont elle adorait admirer les grains et la composition savante de pourpre et de violet; elle laissait le jus couler dans sa gorge en pressant seulement la peau entre ses deux doigts. Il lui arrivait d'essuyer avec le revers de la main une goutte de ce savoureux suc au coin de ses lèvres avant qu'elle ne coule sur le bas de son visage. Pour une jeune femme de vingt ans, cette sensualité de la nature avait quelque chose de troublant.

Adèle confie à Klimt qu'elle avait ressenti l'abattage de cet arbre comme un acte de barbarie. Voir ce figuier à terre, victime de la violence des hommes, pris par surprise à l'aube d'une journée que rien n'aurait dû perturber, l'avait bouleversée.

– Vous allez me prendre pour une insensée, mais je n'aurais pas été étonnée d'entendre le baliveau hurler. Si l'arbre avait pu pousser une plainte, je serais venue à son secours!

L'évocation de l'arbre mort avait éveillé une autre douleur, celle de son incapacité à enfanter. Quelle injustice ! Cet arbre si prospère avait lui été condamné pour sa surabondance alors qu'elle connaissait le prix de son infécondité. La nature est parfois si cruelle.

Adèle décide d'évacuer ces pensées sombres. Elle a pris l'habitude de les chasser comme on éconduit un importun. Elle est avec le grand Gustav Klimt, le peintre dont tout le monde parle, et ne veut pas entacher ce moment et cette conversation avec son chagrin. Dans les salons, chacun commente le départ de Klimt de la Sécession, l'association des artistes viennois qu'il avait cofondée.

– Gustav, que va devenir la Sécession sans vous ?

– Je ne veux plus me battre contre ces esprits faibles qui ne comprennent rien à mon art.

– Vous leur en voulez toujours des critiques à l'encontre de *La Philosophie* ?

– S'il n'y avait que cela ! Leur hostilité est systématique. Ils me reprochent d'être un dépravé, de pervertir la jeunesse ! De n'être qu'un pornographe ! C'est ridicule ; chaque nouvelle exposition au palais de la Sécession devient un champ de bataille. Attaquer *La Philosophie* ne leur a pas suffi, ils ont contesté *La Médecine* et *La Jurisprudence*. Et même la *Frise Beethoven* a fait l'objet de leur bêtise et de leur ignorance. Je n'ai plus d'énergie à perdre avec ces fadaises. Je ne sais pas qui sont les plus idiots, ces journalistes ou ceux qui se laissent manipuler par ces scribouillards. Ils ne comprennent rien.

– Mais pourquoi une telle violence ?

– Ils veulent des silhouettes parfaites, ils ne sont pas capables de voir la beauté d'un corps vieillissant ou opulent. Les défauts créent l'émotion. Pour eux la nudité doit être chaste, les femmes habillées comme au bal. Moi je veux peindre l'amour et la passion. Si l'érotisme n'a pas sa place dans l'art, alors l'art n'a pas sa place dans la vie.

– Toute cette histoire est lamentable.

– Je ne me laisserai certainement pas brider par la critique officielle. Si l'État ne veut plus me passer de commande, tant pis ! J'en ai assez de la censure et de me faire insulter en permanence. Je veux me libérer, me débarrasser de tout ce qui m'empêche de travailler. Je refuse tout soutien de l'État. Je suis libre.

Klimt s'emporte, en soulignant ses propos de grands gestes saccadés ; si Adèle ne le connaissait pas, elle pourrait penser qu'il est en colère contre elle. Sa voix se fait la plus douce possible, elle chuchote presque :

– Mais qu'allez-vous faire, Gustav ?

– Je vais créer une nouvelle association d'artistes autrichiens. On verra bien qui me suit. Je suis un artiste, Adèle, mon art ne peut être compris de tous. Mais je ne changerai pas.

Adèle se tait. Face à la puissance de conviction du peintre, elle se sent novice et désarmée. Il l'impressionne. Que peut-elle lui dire pour le rassurer, sinon l'admiration qu'elle éprouve pour lui? Alors, oui, elle le lui dit, avec ses mots. Elle dit l'émotion qu'elle a ressentie devant sa peinture la première fois. Mais ses paroles ne suffisent pas à calmer le peintre qui poursuit sa diatribe contre la terre entière.

– Lorsque j'ai terminé un tableau, je ne veux pas passer des mois à le justifier auprès du grand public. Pour moi, l'important n'est pas qu'il plaise à un grand nombre mais à qui il plaira.

Il a dit cette dernière phrase furtivement, comme une confidence.

Ils continuent à marcher l'un près de l'autre, s'effleurant parfois, de leurs bras ou de leurs épaules. Seul le bruit des feuilles mortes qui crissent sous leurs pieds vient rompre le halo qui les enveloppe. Klimt, happé par ses pensées, regarde au-delà de l'horizon comme si Adèle n'était pas présente.

– Savez-vous, Gustav, que je suis jalouse de votre Judith?

– Pourquoi cela?

– Parce que ce portrait restera à jamais votre chef-d'œuvre.

– Vous ne me faites pas confiance pour le vôtre?

– J'ignore si vous avez aimé cette Judith, mais elle vous aimait. Une femme sent ces choses-là. Vous avez fait d'elle l'image même de la sensualité. Sa bouche entrouverte, ses yeux mi-clos… Par quel prodige vous, un homme, avez-vous réussi à peindre ainsi le désir d'une femme ?

En prononçant ces mots, Adèle frissonne, elle n'en revient pas de son audace. Elle ose parler de sexualité avec un homme qui n'est pas son mari. Elle n'évoque jamais ces questions avec Ferdinand…

Klimt sourit, cette fausse jalousie l'amuse. Il aime voir Adèle, d'habitude si réservée, presque prude, se risquer aux frontières des convenances.

Gustav propose à Adèle de s'asseoir quelques instants sur un banc. Il s'amuse avec la jeune femme.

– Est-ce parce que je l'ai en partie dénudée que vous vous sentez lésée ? Voudriez-vous que je fasse apparaître l'un de vos seins…

Adèle rougit et détourne le regard, elle ignore pourquoi elle s'est engagée sur ce terrain scabreux.

– Adèle, Judith c'est vous. C'est vous qui m'avez inspiré. Lorsque je vous ai vu pour la première fois, j'ai cru à une apparition. Vous étiez si jeune, si sensuelle. Vous dégagez une volupté incandescente.

Adèle ne sait plus comment sortir de cette conversation. Elle ignore s'il se moque d'elle ou s'il lui fait du boniment. Klimt la flatte parce qu'il est ainsi, il n'est pas une femme qui échappe à son désir.

Cette flânerie n'était pas une bonne idée. Ils auraient dû utiliser ce temps pour une séance de pose et avancer le travail. Ferdinand est impatient, il a commandé le tableau il y a déjà plus d'un an. Adèle a dissimulé à son mari qu'elle s'accordait cette promenade avec l'artiste. Elle a préféré lui dire qu'elle se rendait à son atelier. Pourquoi ce mensonge qui n'en valait pas la peine ? Adèle ne veut pas s'avouer que le contact de Klimt lui procure une sensation délicieuse. Celle qui échauffe les sens, éveille les terminaisons nerveuses et donne le sentiment d'exister davantage. Un trouble qu'elle n'avait jamais ressenti jusqu'alors. Lorsque Klimt pose ses yeux sur elle, elle se sent devenir une autre femme. Et peut-être même une femme, tout simplement. Avec lui, près de lui, chaque partie de son corps lui rappelle son existence.
– Vous savez que j'ai peint ce tableau il y a cinq ans déjà. À l'origine, je voulais cacher cette poitrine avec la main droite de Judith, dont le bras remontait plus haut. Et puis, il m'a semblé plus esthétique de cette façon-là, n'est-ce pas ? Plus troublant aussi. J'ai beaucoup travaillé pour ce portrait, j'ai relu son histoire dans l'Ancien Testament. Elle n'était pas seulement belle, mais courageuse, et je n'aurais pas aimé être à la place d'Holopherne, ce commandant babylonien,

quand elle l'a décapité d'un coup d'épée. Voilà une femme qui savait se libérer de son oppresseur !

Klimt ne se contente pas de raconter l'histoire de Judith, il mime en même temps qu'il hausse la voix le geste d'une décapitation à l'épée. Adèle parvient à peine à réprimer un mouvement de recul.

– Pourquoi me dites-vous cela, Gustav, pensez-vous que je sois une femme soumise ?

– Vous êtes une femme de votre condition, une dame de la haute société, vous respectez les codes de votre milieu. C'est aussi ce que j'aime en vous, mais vous ne vous accordez guère de liberté…

– Que voulez-vous dire ?

– Je crois que vous comprenez très bien, Adèle. Avez-vous déjà connu la passion au cours de votre vie ?

– J'ai, comme vous, la passion de l'art. Je ne pourrai pas vivre sans la littérature, sans la peinture, sans la musique non plus.

– Je ne parle pas de cela, Adèle, je vous parle de passion amoureuse, de l'alchimie des corps. L'amour qui emporte tout. À quoi rime la vie sans ça ?

Une fois de plus, Adèle se raidit, comme prise au piège.

– Voyez-vous cette toile que j'ai appelée *L'Amour* ?

Adèle parvient à balbutier un petit oui qui s'éteint comme une flamme aussitôt prononcé. Elle se concentre pour voir cette toile dans son esprit, elle connaît quasiment toute l'œuvre du peintre.

– Avez-vous remarqué combien cette femme s'abandonne dans les bras de son aimé? Avez-vous vu l'absolu de leur enlacement? Comprenez-vous l'intensité de leurs sentiments?

– C'est d'une rare beauté.

– Ce qui est d'une rare beauté, c'est cet amour passionné. Rien n'existe pour eux que leur amour. Mais il n'est pas éternel. Ils ne le savent pas encore, les ténèbres les guettent de tous côtés. Cet amour disparaîtra tragiquement un jour ou l'autre. Rien ne dure jamais. Seul l'art transcende tout cela. Adèle, ne passez pas à côté d'un amour intense. La passion fait peur, elle blesse. Mais cette douleur n'est rien face à la joie qui submerge tout notre être.

Brusquement Gustav se lève. La promenade est finie.

Dans la calèche, Adèle reprend son souffle. Le front contre la vitre, il lui semble que les couleurs sont accrues, que les lumières scintillent avec plus d'éclat.

6. À mi-étage

La promenade avec Klimt n'est pas le seul mystère qu'Adèle entretienne auprès de Ferdinand. Depuis quelques mois, elle se rend avec Thérèse dans les faubourgs de Vienne à la rencontre des plus pauvres. Son mari n'approuverait pas qu'elle se frotte à un monde qu'il ne juge pas convenable.

Elle croise souvent, en chemin, ces vendeurs ambulants qui tentent de gagner trois sous avec leurs maigres marchandises, dans l'espoir de nourrir leur famille. Quelques peaux de bêtes, des bouts de tissus ou de cordes composent l'achalandage brinquebalant empilé sur une charrette de fortune. Adèle veut connaître la situation de ces réfugiés venus de l'Est autrement que par les articles de presse. Ils fuient par milliers les pogroms et la misère pour venir s'entasser à six ou huit dans une seule pièce aux abords de la ville. Il est fréquent qu'une famille loue un bout de matelas pour la nuit à un ouvrier sans logement. À Ottakring, plus de dix mille journaliers ne savent pas de quoi leur lendemain sera fait. On lui a raconté aussi qu'il existait une traite des Blanches. Des jeunes femmes se retrouveraient prostituées contre leur gré. Adèle a conscience des privilèges de sa naissance, de l'aisance de sa condition. Dire qu'elle ne manque de rien est un euphémisme. La moindre de ses envies est aussitôt exaucée. Ferdinand la comble autant que possible ; tous ses désirs sont assouvis. Son coffre à bijoux regorge de merveilles, comme ses armoires à vêtements.

Deux fois par mois, les sœurs s'aventurent dans le quartier de la Leopoldstadt pour apporter un peu d'aide, de nourriture et quelques vêtements aux plus défavorisés. Elle a déjà donné tout ce qui lui semblait réutilisable par ces femmes de basses conditions. Des chemises surtout, et des manteaux qu'elle portait en dehors de la ville, lors de ses sorties à la campagne. Évidemment, elle a remisé les robes en soie : qu'en feraient ces pauvres ménagères ? Elle les voit laver du linge qui mériterait davantage d'être jeté que rapiécé. En quelques années, la population de Vienne a été multipliée par cinq. La majorité de ces réfugiés vient de Galicie, de Moravie, de Bucovine, de Bohême et de Hongrie, là où Ferdinand se rend souvent pour ses affaires.

Ils fuient le malheur autant que les menaces qui pèsent sur eux. Ils ne possèdent rien. Ferdinand s'inquiète de voir ces étrangers, incapables selon lui de s'intégrer dans la culture germanophone. Ils parlent le yiddish, restent fidèles aux traditions hassidiques et semblent si distincts et même étranges parfois. Comme ses congénères de la haute bourgeoisie, il craint que leur venue ne fasse qu'accentuer les poussées d'antisémitisme. Ferdinand veut être considéré comme un Viennois, un Autrichien, avant d'être vu comme juif. Il se réjouit que l'on commence à évoquer des quotas, à réduire le nombre d'autorisations à s'installer dans la capitale autrichienne.

Adèle n'en a cure. Elle préfère laisser son cœur parler, soucieuse de redistribuer un peu de ce qu'elle a reçu de la vie. Elle veut aider, et qu'ils soient juifs lui importe peu. Depuis la mort de Fritz, elle se sent si détachée de la religion. Alors elle n'a pas voulu se fondre dans l'une de ces associations, souvent prosélytes, d'aide à ces immigrants. Quoi qu'il arrive, elle reste fidèle à ses visites bimensuelles tant elle prend à cœur la mission qu'elle s'est donnée.

Thérèse est plus prudente, elle conserve ses gants et parfois bloque sa respiration, incommodée par les effluences d'eau croupie jusqu'à ne plus pouvoir avancer. Elle ne cesse de répéter à sa jeune sœur qu'il faut veiller à ne pas attraper ces maladies qui déciment enfants comme adultes. Elle entend parler de diphtérie, de tuberculose et de rougeole.

Avant de pénétrer dans l'immeuble où l'attend une famille, Franz est venu prévenir et s'assurer que madame ne risquait rien. Insensible aux remugles, Adèle aime d'abord marcher dans les ruelles pourtant sordides de ce quartier. Elle doit parfois écarter le linge étendu au travers de la rue, pour se frayer un chemin. Elle est gênée par ces dessous d'hommes et de femmes, de toutes les tailles, offerts à la vue de tous. Elle se fiche de voir le bas de sa robe effleurer des immondices. Ce qu'elle ne supporte pas, ce sont les rats qui rôdent, à l'affût de la moindre miette.

La première fois, elle a dû faire demi-tour, effrayée et dégoûtée par l'odeur pestilentielle. Une fois chez elle, elle sentait encore la présence de ces rongeurs. Tremblante toute la soirée, elle avait dû inventer une histoire pour Ferdinand. Elle avait sans doute pris froid en se rendant chez sa couturière, voilà tout. À moins que ce ne fût le courant d'air lorsqu'elle s'était retrouvée en corset avant de passer une nouvelle robe. Bien sûr, c'était ce courant d'air qui l'avait fait aussitôt éternuer, elle aurait dû être plus prudente. Oui, oui, Ferdinand la verrait bientôt cette nouvelle tenue. Il était souvent plus impatient encore que sa femme à l'idée de la découvrir dans une nouvelle robe.

Depuis, Adèle avait surmonté sa phobie des rats. La cause des réfugiés lui tenait suffisamment à cœur pour ne pas y renoncer. Prévoyante, elle venait désormais avec son bâton de marche, celui qu'elle utilisait lors de ses randonnées dans le Tyrol. Cela la rassurait de claquer le bout, renforcé de fer, sur le sol crasseux, dans le but d'effrayer les rats qui auraient l'outrecuidance de s'approcher d'elle. À force de l'arpenter, le quartier de Leopoldstadt lui est presque devenu familier. Elle n'hésite plus avant de tourner de ce côté-ci ou bien de l'autre.

Adèle commence aussi à connaître les prénoms de certains gamins qui s'écartent sur son passage, impressionnés de voir cette dame élégante qui ne craint pas de les toucher. Partout elle croise des enfants en haillons, sales comme des sauvageons, qui pour la plupart ne vont pas à l'école. Ils jouent au pied des immeubles, ils sont toute une bande, filles et garçons mélangés, à courir après un chat malingre, des bouts de bois à la main. Généralement, ils se montrent respectueux. Sauf ce jeudi-là, où l'un d'entre eux dit, un peu fort, un mot qui provoque un éclat de rire chez tous les autres. Elle lui demande de répéter ce jargon qu'elle ne connaissait pas. L'enfant perd soudain de son assurance et baisse la tête. Adèle comprend qu'elle ferait mieux de ne pas insister si elle ne veut pas entendre une grossièreté et passe son chemin comme si de rien n'était.

Malgré ces quelques désagréments, elle ne renonce pas à ses incursions dans ce monde si lointain du sien. Au contraire, il lui arrive même d'y retourner dès le lendemain d'une visite, quand elle a été trop bouleversée. La veille encore, une mère ne parvenait plus à nourrir son bébé ; Adèle était alors revenue avec du lait frais qu'elle avait fait venir de la campagne. Elle avait à nouveau grimpé les quatre étages de cet immeuble crasseux dans une pénombre qui l'aurait effrayée si elle n'avait pas été si motivée. Elle avait repris son souffle à mi-étage ; elle tenait à porter elle-même, dans un grand panier, ce qu'elle avait prévu d'offrir. C'était seulement plus lourd qu'elle ne l'avait imaginé.

Thérèse sent que sa sœur, en mal d'enfant, ne demande qu'à reporter l'affection qu'elle a à offrir. Il y a eu ce jour où Adèle avait pris ce nouveau-né dans ses bras et le regardait comme hypnotisée. Elle le berçait et lui chantonnait la comptine que sa nourrice lui avait apprise. Thérèse, déchirée, avait observé cette scène, avec compassion.
– Nous devons partir maintenant, Adèle, il faut recoucher l'enfant.
La mort dans l'âme, Adèle avait délicatement reposé le petit dans la caisse qui faisait office de berceau, installé dans un coin de la pièce unique, et avait déposé un baiser sur sa joue souillée. Thérèse avait empêché sa sœur d'y retourner le lendemain et le surlendemain encore.
– Nous devons aider d'autres familles, lui intimait Thérèse.

Adèle avait fini par se laisser convaincre. Mais les scènes se renouvelaient, inlassablement. Dans chaque famille, il y avait un nourrisson qui ne mangeait pas à sa faim, comme le reste de la maisonnée. Parfois, elle faisait un détour par le marché croate. Elle tenait à effectuer elle-même un dernier ravitaillement qu'elle ferait porter l'instant d'après. Et puis elle aimait déambuler sur cette place où les choux verts mâtinés de violet et des montagnes de carottes jonchaient le sol avant de trouver preneur. Il lui arrivait d'échanger quelques mots avec ces paysannes venues de la campagne alentour. Certaines d'entre elles, avec leur fichu sur la tête, vendaient du beurre qu'elles produisaient elles-mêmes. Elles étaient accroupies devant de grandes barattes, dans un joyeux brouhaha, même lorsque le vent était glacial et rigoureux. Adèle leur achetait tant qu'il y aurait là de quoi nourrir encore deux ou trois familles.

Ces scènes de pauvreté la hantaient lorsqu'elle rentrait à Schwindgasse. À plusieurs reprises, elle avait demandé au docteur Bruden d'aller soigner une mère ou son enfant en lui faisant jurer le secret. Plus souvent encore, elle ne parvenait plus à avaler une bouchée lorsqu'elle songeait au peu de nourriture que ces familles devaient se partager. Adèle, malgré les recommandations de Thérèse, avait envoyé chez le petit qui l'avait tant émue un panier de vivres et du linge propre. Thérèse n'en avait rien su. Cette fois-ci, Adèle n'avait pas voulu dire à sa sœur ses intentions, comme s'il y avait là un sentiment inavouable. Seul le fidèle Franz était dans la confidence. Fréquemment, Adèle s'endormait en songeant à la petite bouille de l'enfant, à ses joues sans rondeur. Elle pensait à cette minuscule bouche aux lèvres sèches, à peine plus épaisses que des quarts de lune. Elle ressentait la chaleur de l'enfant comme s'il était toujours contre sa poitrine. Elle revivait cette sensation unique qui faisait vibrer sa corde maternelle. Parfois, elle en éprouvait une joie palpable, mais la plupart du temps ce souvenir lui causait une grande peine. Elle se réfugiait dans les bras de Ferdinand sans lui parler de son tourment. Et puis les jours passaient et la vie ouatée et dorée comme les toiles de Klimt reprenait, légère et précise comme un trait de pinceau.

7. Des ombres aimées

L'esquisse a bien avancé. Comme à chaque fois, Adèle a emprunté l'allée ensablée avant de frapper à la porte de l'atelier. Le printemps s'ancre et les premières jonquilles bordent le chemin, comme des lucioles en plein jour. Les crocus éclosent à peine et la frondaison du gigantesque marronnier ne va pas tarder. Adèle s'installe, le thé est déjà prêt. Alors qu'elle savoure la boisson brûlante à petites gorgées, elle cherche un sujet pour lancer la conversation. Alors elle lui parle de ses visites auprès des familles migrantes, du dénuement qu'elle côtoie désormais, de ces gens en exil. Mais elle ne sent pas Klimt réceptif à ses propos. La pauvreté, il en vient…

Adèle se sent maladroite et ridicule, son regard parcourt l'atelier et se pose sur la photographie de la commode. Elle ne s'y trouvait pas la dernière fois, elle en est certaine. Trois hommes se tiennent par les épaules. Il y a Ernst, au centre, le jeune frère de Gustav avec lequel il a tout partagé depuis leur entrée à l'École des arts et métiers. Les quatre cents coups comme l'apprentissage de leur art. À l'époque, Gustav n'avait que quatorze ans et Ernst l'y a rejoint deux ans plus tard. Le troisième, c'est Franz Matsch, lui aussi élève de cette école. Inséparables, ils ont suivi tous les trois le même cours de peinture, celui de Ferdinand Laufberger. C'est avec lui que les frères Klimt et Franz ont appris à dessiner des nus, à peindre des portraits, à composer des paysages.

Ernst s'est imposé lui aussi. Ses *Deux Jeunes Filles en prière* sont un chef-d'œuvre. Il est mort subitement, quatorze ans plus tôt, d'une péricardite, il venait à peine d'achever le *Pan console Psyché*.

Adèle ne l'a pas connu, mais elle sait que Gustav s'est mal remis du décès de son frère. Il venait seulement de perdre son père et ces deux disparitions l'ont anéanti. On lui a raconté les moments d'errance qui ont suivi. Personne ne savait si Gustav retoucherait à ses pinceaux. Il restait prostré des journées entières dans son atelier à ne rien faire. Le soir, il rejoignait sa mère et ses sœurs qui le consolaient comme un petit garçon. Sans que personne ne sache ce qui avait été le déclic, il s'était remis à créer. D'abord timidement, puis avec une rage opiniâtre. Il peignait jusqu'à seize ou dix-huit heures par jour pour ne plus penser à rien, ou avoir du talent pour deux, accumulant les œuvres qu'il portait en lui et celles qu'Ernst ne fournirait plus. Au cours de ces heures de travail, Klimt ne pensait qu'à son frère cadet. Il avait été son compagnon de jeu mais aussi son aiguillon, celui qui le poussait toujours plus haut. Aussi loin qu'il se souvienne, assembler, composer, coller, dessiner avait illuminé ses journées. Gustav utilisait tout ce qui lui tombait sous la main, des feuilles d'érables, des brindilles, du sable et des ficelles pour en tirer une création. Le beau pouvait surgir de n'importe quoi. Chacun de ses gestes était empreint de délicatesse et de grâce.

C'est Anne, sa mère, qui avait découvert, émerveillée, le talent de son fils. Ernst était alors trop petit pour imiter cette avidité de créer, mais il ne tarda pas à le rattraper. Gustav revoyait les images de ce passé heureux, l'un aux côtés de l'autre ; lorsqu'à Baumgarten, ils tentaient de copier leur père qui gravait des métaux précieux, les deux garçons se contentaient de morceaux de bois. Entre Ernst et lui, c'était à celui qui cisèlerait le plus finement l'objet. Lorsque le père félicitait celui qui lui semblait avoir le mieux réussi, l'autre allait se jeter dans les bras de leur mère pour chercher une consolation, un encouragement. Le soir, ils présentaient leur travail à leurs quatre sœurs. Et ce tribunal cruel excitait leur rivalité.

Après avoir longuement hésité, de peur de raviver sa blessure, Adèle se lance :
– Ernst vous ressemblait, n'est-ce pas ?
Gustav tourne légèrement la tête, jette un œil sur la photo. S'il l'a installée sur cette commode, c'est pour lui, uniquement pour lui. Pour peindre sous le regard de son frère et de l'ami le plus cher qu'il n'ait jamais eu. Donc il se tait.
Adèle le relance :
– Il vous manque ?
– Sans doute.
Adèle comprend qu'il ne souhaite pas en parler. Elle reprend la pose. Gustav saisit son pinceau le plus fin, tandis qu'il tient le manche moyen entre ses dents.
Gardant les dents serrées, il murmure :
– De nous deux, il était le plus doué. Son art n'avait pas d'équivalent. J'aurais préféré partir à sa place. C'est lui qui a hérité du talent de notre père. Il serait devenu le plus grand peintre de notre siècle, j'en suis convaincu.

Adèle se sent si proche de Klimt. Tout dans leur histoire les sépare, mais cette douleur commune les lie, la perte d'un frère aimé.

– J'ai perdu mon frère moi aussi. Karl n'avait que vingt-six ans quand il est parti et moi quinze. Il était une sorte de demi-dieu pour moi. Je ne me remettrai jamais de sa mort. Il n'y a pas un jour où je ne pense pas à lui. Pas un matin lorsque je me réveille où je ne cherche pas son visage dans mon souvenir. Il devient de plus en plus trouble et cela me désespère de savoir qu'un jour je ne parviendrai plus à me le représenter sans une photographie devant moi. Et à quoi ressemblerait-il aujourd'hui? Sa moustache serait-elle fournie? Aurait-il perdu des cheveux ou seraient-ils déjà devenus gris? Il aurait pris la suite de notre père à la banque avec nos frères. Certains jours, je me dis moi aussi que j'aurais préféré mourir à sa place; lui aurait fait de grandes choses, alors que moi qui ne suis qu'une femme, je ne laisserai rien. Même pas d'héritiers.

Sa voix s'étrangle. Elle retient le premier sanglot, celui qui appelle tous les autres. Le sang de cette blessure ne séchera jamais. Son destin est fait de chimères: elle fait vivre dans ses rêveries solitaires son frère et son fils. Elle les fait vieillir, parler, rire, se transformer. Ils n'ont pas de présence. Ce sont des spectres. Et ce sont eux qu'elle croit apercevoir parfois dans les œuvres de Klimt. Des ombres aimées et presque évanouies.

8. La ronde

Ferdinand est rentré, son journal à la main. Comme à son habitude, il a grimpé les marches quatre à quatre. Adèle embrasse son mari, l'aide à ôter son chapeau, son écharpe en soie bordeaux et son pardessus sombre avant que la gouvernante ne s'en saisisse. Adèle l'entraîne dans la bibliothèque. C'est là qu'ils aiment se retrouver avant le dîner. Là que Ferdinand déguste son whisky, là encore qu'il savoure son cigare avant de rejoindre – ou non – Adèle dans sa chambre pour la nuit. Adèle boit à toutes petites gorgées un verre de tokay en fumant. Elle aime les rayonnages en acajou des bibliothèques et s'installe dans sa bergère beige favorite, juste sous le lustre à pampilles, près des deux globes, terrestre et céleste, qu'elle fait tourner d'un geste machinal dès qu'elle passe à côté. De cette place, elle peut observer Ferdinand et jeter un coup d'œil à travers la fenêtre, voir le jour se dérober.

Comme chaque soir, elle lui demande comment s'est déroulée sa journée. Parfois lui s'enquiert de la façon dont elle a profité de son temps depuis le matin. C'est le rituel du mariage, ces conversations tissées chaque jour avec les mêmes fils et qui dessinent mois après mois un motif qui ne ressemble à aucun autre. Mais ce jour-là, Ferdinand est préoccupé.

– Nous avons eu une mauvaise nouvelle à la manufacture.

– Que s'est-il passé ?

– Nous avons dû nous séparer d'une des ouvrières : elle emportait chaque jour un peu de sucre caché dans son tablier.

– Vous n'avez donc pas de cœur, Ferdinand ? Un rappel à l'ordre n'aurait-il pas suffi ? Fallait-il vraiment chasser cette pauvre femme ? Comment va-t-elle nourrir sa famille ? Vous êtes-vous posé seulement la question ?

– Ce vol est intolérable. Je connais vos idées sociales, mais nous devions donner l'exemple. Le contremaître s'en est chargé. Imaginez, si tout le monde se permet cette liberté, nous finirions par devoir mettre la clef sous la porte.

– Vous exagérez, Ferdinand.

Adèle ne veut pas s'opposer aux décisions de son mari, mais elle n'aime pas quand il se montre brusque envers ses employés. Comment cette femme va-t-elle faire vivre ses enfants désormais ? Et qui sait si en rentrant, elle n'a pas eu à subir, en représailles, les coups d'un mari violent ?

En songeant à ses visites secrètes dans les faubourgs, elle revoit ces mères qui portent des traces de coups sur le visage, quand elles n'ont pas un bras ficelé dans une attelle. Le souvenir de ses tournées dans les bas quartiers la réconforte intérieurement. Voilà au moins un endroit où elle peut être utile, réparer un peu de cette injustice qui sévit partout, y compris dans les manufactures de Ferdinand.

Adèle ouvre *Die Neue Freie Presse*, parcourt les informations viennoises, les annonces de spectacles, les critiques aussi. Elle s'attarde sur les pages internationales et le titre de l'une d'entre elles retient son attention. « Angleterre : des femmes se battent pour le droit de vote ».

– Ferdinand, écoutez cela : des femmes anglaises veulent voter à leur tour. Elles ont raison, pourquoi n'aurions-nous pas le droit de donner notre avis sur la marche du monde !

– Ma chérie, s'exclame Ferdinand en pouffant, laissez-nous gérer toutes ces choses, elles sont bien trop assommantes pour vous et vos amies !

– Au contraire, elles sont passionnantes. Qu'aurions-nous de moins, nous autres femmes, pour ne pas comprendre la politique et la marche du monde ?

– Voudriez-vous vous mêler aussi des affaires militaires et un jour de la guerre?

– Je pensais que vous, au moins, auriez l'amitié de ne pas me prendre pour une écervelée. J'ai reçu une instruction, vous le savez bien.

– Là n'est pas le sujet, ma chérie. Ces questions requièrent un sang-froid que la gent féminine ne possède pas. C'est ainsi, vous n'allez pas refaire l'humanité. Nous partageons les mêmes opinions, n'est-ce pas?

– Ne voyez-vous pas que les choses bougent, les femmes veulent se faire une place dans la société. Pourquoi serions-nous des citoyens de seconde classe, après tout? Vous me désespérez parfois, vous manquez terriblement de modernité. Vous voudriez qu'entre les femmes de petite vertu et les saintes demoiselles il ne se passe rien, il n'existe rien? Ouvrez les yeux, réveillez-vous! Écoutez donc notre ami Freud qui commence à capter la nouvelle société, y compris celle qui se cache dans l'inconscient.

Ferdinand se plonge à son tour dans son journal pour clore cette conversation qui le contrarie.

– Ferdinand, vous mériteriez que je me comporte comme la belle Judith de Klimt! Si vous ne m'écoutez plus, je vous décapiterai! Cessez donc de jouer à l'oppresseur!

Adèle s'amuse et surjoue la colère. Elle arrache un sourire à Ferdinand. Il s'approche d'elle, lui donne un baiser, laissant retomber la tension.

– Quand donc souhaitez-vous me décapiter ou me fusiller ? Vous le faites si bien déjà avec la prunelle de vos yeux !

– Dès que j'aurai rejoint ces femmes courageuses qui refusent de se laisser manipuler et commander par les hommes.

Adèle est fascinée par ce mouvement de femmes libres et militantes, le Women's Social and Political Union créé deux ans plus tôt, en 1903 à Manchester. Leurs provocations ne la gênent pas. Elle comprend leurs actions, même si Ferdinand préfère les appeler « exactions ». Elle regrette de ne pas être anglaise. Cette Emmeline Pankhurst et sa fille Christabel sont bien courageuses.

– Écoutez encore cela, Ferdinand, on les appelle les « suffragettes », elles viennent de réunir cinquante mille personnes à Hyde Park pour défendre leur cause. Et vous croyez toujours que je suis la seule à les soutenir ? On commence à parler d'elles dans le monde entier, même en Amérique !

Ferdinand lâche un soupir exaspéré.

– N'est-il pas l'heure de dîner ? Vous me parliez de Klimt et de sa Judith, racontez-moi : où en est votre portrait ?

Adèle trésaille, gênée ; elle baisse le visage qu'elle cache entre les deux pages du *Neue Freie Presse*.

– Attendez, je n'ai pas terminé. Certaines d'entre elles ont entamé des grèves de la faim. D'autres s'enchaînent aux grilles du Parlement. Une suffragette s'est même fait retirer son enfant avant d'être mise en prison. Quelle injustice! Il faudrait donc se taire, uniquement se taire? Les femmes n'appartiennent donc qu'à la sphère privée? Regardez ces dessins horribles: parce que ce sont des femmes, il faut les caricaturer et les enlaidir. On veut leur enlever jusqu'à leur dignité. Mais nous sommes au XXe siècle et les femmes ne se tairont plus. Vraiment Ferdinand, estimez-vous heureux que je vous aime et que je ne sois pas née en Angleterre car c'est certain, je les rejoindrais.

Adèle enrage comme au temps de son enfance, lorsque ses frères prenaient le chemin du lycée et qu'elle et sa sœur devaient rester étudier à la maison avec des précepteurs. Elle maugrée, comme si intérioriser sa colère allait l'aider à la surmonter. Elle a compris que Ferdinand ne lui serait d'aucun soutien. Leur différence d'âge se fait soudain ressentir. Il lui semble d'un seul coup que Ferdinand ne parvient pas à comprendre ce que l'avenir réserve.
La femme émancipée n'est qu'une illusion à Vienne. L'antiféminisme y est un des plus puissants de toute l'Europe, et les Viennois se prétendent modernes! Ce n'est qu'une vue de l'esprit! Même les écrivains craignent l'émancipation des femmes, ils ont tellement peur! Mais de quoi ont-ils peur? Lorsqu'une femme parle de liberté, ils n'ont

que deux mots à la bouche : « hystérique » ou « castratrice » !
Il n'y a guère que Gustav qui n'ait pas peur des femmes et
de leur pouvoir. Entre ses mains, elles deviennent fatales
et puissantes. Il se soumet à leur empire, sans pour autant
craindre d'apparaître comme un homme diminué.
À la façon dont Adèle saisit son fume-cigarette, Ferdinand
remarque qu'elle est irritée. Elle avale une première bouffée
qu'elle recrache nerveusement. D'un geste vif de la main,
elle dégage la fumée qui semble la déranger elle-même.
– Mais qui donc vous met ces idées subversives dans la
tête, Adèle ? Je ne vous reconnais plus. Est-ce l'influence
de Klimt ? J'admire son œuvre, mais l'homme n'est pas fré-
quentable. Peut-être ai-je eu tort de commander ce tableau
et de vous laisser avec lui tout ce temps.

Voilà deux fois en quelques minutes que Ferdinand
évoque Gustav. S'inquiète-t-il donc ? C'est vrai qu'il exerce
une certaine forme d'influence sur elle, Adèle doit en
convenir. C'est avec lui qu'elle a de longues discussions
sur les bouleversements du monde et sur l'art avant tout.
Il ne la considère pas comme une cruche, mais comme son
égale. Même s'il aime les femmes d'une façon que la morale
condamne, de même qu'Arthur Schnitzler, qui fréquente
régulièrement son salon. Encore un qui a été qualifié de
pornographe pour sa pièce *La Ronde*. Finalement ses deux

meilleurs amis sont des pornographes! Adèle, perdue dans ses pensées, esquisse un sourire. Ferdinand l'entoure de ses bras.

– Je ne sais pas ce qui vous amuse, ma chère, mais passons à table. Il commence à se faire tard, et il est hors de question que nos chamailleries nous coupent l'appétit.

9. Un autre et encore un autre

Adèle dort encore lorsque Ferdinand se lève puis se penche pour embrasser sa femme. Il lui caresse les cheveux et lui dit doucement, dans un chuchotement, à l'oreille :

– Restez dormir. Je ne prendrai pas de petit déjeuner, on m'attend déjà au bureau. Mais je vous retrouverai plus tôt ce soir.

Adèle lui adresse un sourire en guise de remerciement et se replonge avec volupté dans cet entre-deux si délicieux, ce demi-sommeil propice aux rêves. Elle savoure ce moment, ses réflexions pour elle seule, comme un trésor à ne partager avec personne. Son époux est toujours si empressé envers elle qu'il en devient parfois pesant. Adèle saisit l'oreiller que vient de déserter Ferdinand. Elle le serre contre elle. À la minute précédente, elle regardait avec soulagement son mari partir. Elle se sent maintenant seule, terriblement seule. Ses pensées voguent encore une fois vers Gustav Klimt. Elle le sent si près d'elle, elle pourrait presque entendre son souffle, ressentir son haleine. Elle plonge encore un peu plus son visage dans le polochon, prend une profonde respiration. Elle veut mettre de l'ordre dans ses idées. L'image de Klimt ne la quitte plus. Elle devient obsessionnelle. Elle a terriblement envie de le voir. De sentir sa présence, d'effleurer une épaule, de deviner son regard acéré sur elle.

Comment expliquer ce qui l'attire chez cet homme de vingt ans plus âgé qu'elle? Sa connaissance des femmes peut-être. Le manque l'étreint de plus en plus, jusqu'à la priver de souffle. Adèle se fait peur. Sur quelle pente est-elle donc en train de glisser? Elle pourrait ne plus le rencontrer, l'éviter, l'évincer de sa vie, il est encore temps.

Aucune séance de pose n'est prévue. Le peintre pourrait se passer de son modèle. L'esquisse est terminée, Klimt aborde la partie technique, le remplissage du portrait de ses feuilles d'or. Adèle décide de chasser Gustav de son esprit, elle ne peut continuer à se languir de lui alors qu'elle est mariée à un homme irréprochable. Ferdinand ne saurait être plus attentif. Il voyage beaucoup, il est souvent préoccupé par ses affaires, mais il est si dévoué, si gentil quand elle le compare avec les maris de ses amies. Mais plus Adèle chasse les images de Klimt, plus elles reviennent comme des abeilles qui butent contre une vitre.

Adèle sonne sa femme de chambre. Elle se fait apporter, comme chaque fois qu'elle est seule, son thé léger, son pain et sa confiture de prunes, son œuf coque, sur un plateau posé sur ses genoux, dans son lit. Hannah tire les lourds rideaux et laisse les premiers rayons de soleil filtrer dans la chambre.

– Laissez-moi le demi-jour, Hannah, je vais me reposer encore un peu. La lumière me brûle les yeux.

– Bien madame.

La femme de chambre connaît bien sa maîtresse. Elle devine que son humeur n'est pas au beau fixe. Elle essaie tout de même d'attirer son attention sur quelques futilités.

– *Le Petit Écho de la mode* est arrivé de Paris, madame. Je vous ai déposé la revue près de votre tasse.

– Merci Hannah.

Adèle saisit la revue, regarde d'un air distrait les nouvelles créations de la capitale française. Il lui semble que les robes ont légèrement raccourci et laissent découvrir la cheville. Paris a toujours un temps d'avance sur Vienne pour la mode. Les cols sont encore montants mais enfin, les manches gigot perdent en volume. « Tiens, se dit-elle, la forme des corsets évolue. » Ce corset donne une allure plus fluide, la poitrine pigeonne, mais il est plus plat sur le devant. Il faudra qu'elle essaie. Cela lui plaît, cette silhouette en S et ces jupons moins nombreux sur l'arrière. Ils appellent ça le corset « droit devant » et ce terme l'amuse... Droit devant, prête à foncer vers l'inconnu... Elle feuillette encore, s'attarde sur ce modèle bleu roi très décolleté qui pourrait lui convenir. C'est l'une des premières créations de Paul Poiret. Les Parisiennes sont plus modernes, elles osent des tenues plus suggestives. Adèle ne peut s'empêcher de s'imaginer dans cette robe devant Klimt. Qu'en penserait-il ? Comment la trouverait-il ? Il y a aussi ce modèle de Jeanne Lanvin qui retient son attention, plus épuré, somptueux avec ses couleurs chaudes et ses superpositions de soie.

Adèle s'est laissé distraire près d'une heure par ces frivolités. Elle n'a pu s'empêcher de penser à Emilie Flöge, la compagne de Gustav. Malgré ses efforts, elle ne rivalise pas avec les créations parisiennes ; elle s'en inspire, mais ça ne fait pas tout. Avoir fréquenté la section mode de l'École des arts appliqués ne lui aura pas suffi pour rejoindre les plus grands. Pour qui se prend-elle depuis qu'elle a ouvert ce salon de mode ? Elle se pique de faire venir tout Vienne dans son antre moderne dessiné par Josef Hoffmann et Kolo Moser. Sans Klimt, elle ne serait rien. Adèle ne trouve pas que cette Emilie soit particulièrement élégante, mais il faudra qu'elle aille voir de près ses créations et qu'elle lui montre ses tenues à elle, tout juste arrivées de France. Pourquoi ne pas se rendre à Paris? Elle et Ferdinand n'y sont pas allés depuis longtemps. Ils pourraient découvrir tous les nouveaux modèles de ces couturiers dont toutes ses amies parlent. Et peut-être aussi faire le tour des ateliers d'artistes nichés sur la butte Montmartre, cette agitation qui parvient jusqu'à Vienne. Klimt a évoqué un certain Modigliani, encore inconnu mais très prometteur; il l'a découvert à Florence. Elle en parlera à Ferdinand ce soir.

Elle devrait se lever, s'habiller, mais l'élan lui manque. La lassitude la cloue dans son lit. Rien de particulier ne l'attend dans cette journée sans aspérités, si semblable aux autres. Elle ira rendre visite à sa sœur et aux enfants comme chaque jour. Elle travaillera son piano, comme chaque jour. Et elle lira, comme chaque jour.
Adèle laisse s'échapper un profond soupir, elle est accablée par cette monotonie. Comment ose-t-elle s'abandonner à la mélancolie, elle qui ne manque de rien? La voix intérieure reprend ce monologue dans lequel elle ne laisse plus aucune place à des lamentations. Adèle demande à Hannah de lui apporter une robe d'intérieur.
– Madame, voulez-vous la blanche ou la rose?
– Ça m'est égal, Hannah, peu importe. Apportez-moi celle qui vous plaît.

Adèle enfile sur sa chemise de nuit la robe blanche en velours de soie, chaude et légère comme faite de plumes d'oie.

Elle s'installe sur sa méridienne et saisit le dernier ouvrage que Stefan Zweig lui a offert lors de sa dernière réception : *L'Amour d'Erika Ewald*. Elle le prend, le tourne et le retourne comme si elle prenait un livre pour la première fois et se décide enfin à l'ouvrir. Les premières lignes retiennent à peine son attention. Elle poursuit sans conviction. Puis revient à la page de garde. Elle n'avait pas vu cette phrase mise en exergue signée Barbey d'Aurevilly qui semble parler d'elle : « *Les femmes sont si bien faites pour la souffrance, elle est si bien leur destinée, elles commencent de l'éprouver de si bonne heure et elles en sont si peu étonnées qu'elles disent longtemps encore qu'elle n'est pas là, quand elle est venue.* »

Adèle est tout à fait consciente de ce qui la ronge, de ce qui lui manque terriblement dans la vie. Elle n'a eu ni enfant ni amour passionné quand tant de femmes connaissent l'un et l'autre. Elle pense à son amie Alma Mahler qui elle aussi s'est heurtée aux épreuves de la vie, mais qui sait s'abandonner aux hommes qui lui plaisent. Zweig parle si bien de l'amour, ses romans comme ses nouvelles sont un véritable délice. « Il dépeint les femmes à la perfection, pense Adèle en souriant. Zweig les dépeint, Klimt les peint et tous deux les déshabillent… Ils ont tous les deux le goût du tragique, de la beauté aussi. De la beauté du tragique. Oui, c'est ça. » Adèle se promet de noter ses aphorismes sur un petit carnet. Souvent, elle songe à l'écriture, mais elle n'ose pas se lancer, il y a tant de grands écrivains ici à Vienne.

Le jardin de Klimt apparaît soudain comme dans un songe. Et si elle rendait une visite impromptue à l'artiste? En serait-il heureux? Il se pourrait qu'elle le dérange, ne considérerait-il pas cette démarche comme une intrusion? Et puis sera-t-il là?

Ce projet est déraisonnable. Ils n'ont pas rendez-vous. Et si elle lui disait qu'elle se trouvait par hasard dans son quartier? Comment pourrait-il en prendre ombrage? Elle repartirait si elle avait le sentiment de l'embarrasser. Il ne s'en cacherait d'ailleurs pas si elle dérangeait, elle le connaît suffisamment.

Oui voilà, c'est ce qu'elle va faire, aller le voir.

À nouveau, Adèle sonne sa femme de chambre. Elle veut s'habiller. Vite. Vite.
– Hannah, apportez-moi la tenue de sortie.
Adèle n'est plus certaine de vouloir porter cette jupe assortie à la veste verte. Il lui semble qu'une robe lui enserre la taille, la met davantage en valeur en dessinant parfaitement le galbe de ses hanches. Elle ne sait plus ce qui convient, s'en remet à Hannah qui tranche pour l'ensemble prévu.

Une heure plus tard, coiffée et apprêtée, Adèle Bloch demande à Franz de la conduire une fois de plus jusqu'à l'atelier de Gustav Klimt.

En chemin, Adèle a le souffle court, elle se sent oppressée. Serait-ce son corset ? Elle a presque la nausée, elle s'est sans doute levée, habillée trop rapidement. Il est encore temps de faire demi-tour. Après tout, il ne l'attend pas. Mais une puissante attraction qu'elle ne domine pas la guide vers celui qu'elle admire. Tout à son trouble, elle ne voit pas la route. Elle ne pourrait pas dire s'il y avait du trafic. En dehors du tramway croisé en chemin, elle ne se souvient de rien. La voici déjà arrivée. Franz stoppe la voiture, se retourne, son fouet à la main :

– Madame sait-elle combien de temps durera la séance ?

– Non Franz, mais ça ne sera pas long.

Elle pousse le portail ; comme à chaque fois, il grince en frottant la dalle en bois. Adèle emprunte le petit chemin jusqu'à l'arrière de la maison. Le cœur battant, elle tente d'apercevoir le maître à travers la fenêtre. Il est là, devant son grand carton à dessin, son crayon à la main. Il dessine. Il n'est pas seul, face à lui, sur le divan, une femme nue pose pour lui. Elle n'est pas totalement nue, mais plus que nue. Sa robe est remontée jusqu'au niveau de son nombril, elle ne porte pas de dessous. Elle offre son sexe à la vue du peintre. La femme relève légèrement la tête qu'elle maintient de sa main gauche. De son autre main, elle conserve la robe retroussée sur son ventre. Une simple chemise de jour en fait. Adèle fait un pas en arrière, elle veut partir. Elle n'est ni naïve ni ingénue, elle sait que Klimt peint des corps de femmes; qu'il a besoin pour cela de modèles qui s'exposent. Elle sait encore que le nu est sa principale source d'inspiration et que la sexualité féminine le fascine. Mais le voir faire, c'est autre chose. La vérité crue l'ébranle. Choquée, elle retient un haut-le-cœur, mais ses jambes tremblent, elle n'a pas le courage de repartir. Elle est comme ces sculptures de l'Antiquité exposées au Belvédère, raide et pétrifiée.

Son regard ne quitte pas la femme dans son indécente nudité.

Soudain, elle voit Klimt s'approcher de son modèle. Il rectifie la position du visage, comme il l'a souvent fait avec elle dans un geste délicat, presque tendre. Il relève la robe un peu plus haut, légèrement plus haut, modifie soigneusement le pli du tissu.

Puis avec le dos de sa main, il effleure le sexe de la femme. Comme si sa toison brune devait être orientée dans un sens déterminé, comme un feuillage balayé par le vent. La femme se laisse faire, ne bouge pas. Il continue, poursuit ses caresses de la main, de l'autre, attrape le sein de la femme qu'il se met à embrasser après l'avoir dégagé de la chemise. Il est penché sur elle. Il fait glisser ses lèvres le long de cette ligne médiane qui mène au mont de Vénus. Sa barbe se confond avec la toison du modèle.

Le modèle abandonne la pose, en prend une autre dictée, cette fois, par son désir à elle. Elle devient plus lascive encore, entrouvre plus largement les jambes, sa bouche aussi. Klimt introduit ses doigts dans le sexe de la femme tandis qu'elle tente de relever la longue blouse du peintre. Elle lui saisit le poignet pour qu'il n'interrompe surtout pas son geste. Qu'il poursuive encore. Que cela ne s'arrête jamais.

Adèle veut fuir devant cette scène qu'elle aurait préféré ne jamais voir. Quelle idée folle de venir à l'improviste! Elle connaissait pourtant la réputation du peintre, ce qu'on dit de lui, de ses mœurs débridées, de sa vie scandaleuse. Ses dessins érotiques représentent des scènes mille fois vécues. Jamais elle n'aurait dû être là. Elle est cachée dans le jardin, comme une voyeuse.

Prise de panique, Adèle veut fuir, disparaître. Un trouble s'est répandu en elle, une sensation qu'elle ne connaissait pas auparavant. Une émotion obscure jamais ressentie jusqu'alors brouille son jugement et traverse tout son corps, provoquant des spasmes et des vertiges qu'elle tente de contenir. Dans sa fuite éperdue, elle enjambe un massif de fleurs, se tord la cheville gauche à la réception de son saut.

Elle perd l'équilibre et pousse un cri de frayeur qu'elle ne parvient pas à étouffer. Klimt l'a entendu. Il se précipite à la rencontre de l'intrus. Éperdue de honte, Adèle préférerait mourir.

Lorsque Klimt découvre son visage, c'est celui d'une enfant prise en faute. Il lui tend la main. Pétrifiée, elle n'ose pas la saisir, Adèle n'est pas encore certaine de tenir sur ses jambes. Klimt insiste :

– Prenez ma main, Adèle. Mais que diable faites-vous dans ces fleurs ?

Se sentant pitoyable, elle se résout à accepter son aide.

– J'étais venue vous rendre visite mais en voyant que vous étiez occupé à votre dessin, je n'ai pas voulu vous déranger. Et puis je suis tombée. Pardon Gustav, je vous laisse, je suis attendue.

Adèle tente de faire demi-tour. Elle ne peut plus poser le pied par terre sans douleur.

– Appuyez-vous sur mon bras, je vais vous raccompagner à votre voiture.

Klimt ne lui propose évidemment pas d'entrer dans son atelier, mais il a l'élégance de la laisser penser qu'il ignore avoir été surpris avec son modèle. Il glisse son bras sous le sien et lui enlace la taille pour la soutenir. Elle ne proteste pas, ils avancent à petits pas, en silence. Ils se rapprochent du vieux marronnier qui n'a pas encore perdu ses feuilles. Doucement, Klimt tourne le visage vers Adèle. Un regard et plus rien n'existe que l'attraction de deux êtres. Gustav l'embrasse et elle s'abandonne.

Les bras d'Adèle s'accrochent au cou épais de cet homme qu'elle vient de surprendre dans les bras d'une autre femme, elle ne maîtrise plus rien. Le modèle de l'atelier a disparu. Les oiseaux, le vent, le monde s'est tu. L'amour a surgi, puissant, irrésistible.

Impuissante dans sa volonté de se dégager, Adèle tente de retrouver ses esprits. Quand elle rouvre les yeux, elle aperçoit un éclat de ciel à travers la ramée. Puis la barbe de Klimt qui lui couvre le haut du visage.

– Gustav, je vais y aller, balbutie-t-elle avec peine comme si les mots ne voulaient pas sortir de sa bouche.

– Attendez Adèle, je n'aurais pas dû, mais je vous aime. Nous le savons l'un et l'autre depuis le premier jour.

Comment peut-il l'aimer alors que toutes les plus belles femmes de Vienne sont à ses pieds ? Comment pourrait-elle l'aimer alors qu'elle est mariée ?

– Gustav, je vous en prie. Je dois partir.

Klimt ne la laisse pas s'échapper. Pas encore. Il insiste pour lui retirer sa bottine.

– Vous ne devez pas laisser enfler votre cheville serrée dans le cuir lacé.

Délicatement, il saisit son pied blessé, le gauche, à la hauteur de ses mains. Il délace doucement le haut de la chaussure, prend son temps. Comme le chemin sinueux de ses sentiments, le lacet est détaché tantôt à droite, tantôt à gauche. Enfin, la bottine est suffisamment ouverte pour être retirée. Gustav Klimt attrape le mollet souple et fin d'Adèle toujours silencieuse, en même temps qu'il tire sur la chaussure pour la lui ôter. La cheville n'est pas réellement enflée, l'homme l'installe dans sa main et avec la gauche tente de la faire pivoter.

Adèle exerce un petit mouvement de retrait, de crainte que resurgisse la douleur. Klimt dépose un baiser sur la naissance de sa cheville blessée et rougie, puis un autre, et encore un autre. Elle ressent la chaleur de son souffle qui remonte le long de sa jambe pour se perdre délicieusement en elle. Franz ne s'est pas retourné depuis sa place de cocher, mais Adèle a conscience de sa présence et s'affole. D'un simple coup d'œil, elle fait comprendre à Klimt qu'il doit la laisser filer. Il lâche la cheville, mais remonte sa main là où le bas s'arrête pour toucher sa peau. Là où elle est si douce, à l'intérieur de la cuisse, jusqu'au pli de l'aine. Là où s'allument les flammes qui embrasent les corps. Affolée, Adèle se ressaisit, se redresse, lance un dernier regard à Gustav.

– Franz, nous partons.

Adèle prend place à l'arrière de la voiture, repose la tête contre la portière, baisse les paupières. Son chignon s'affaisse vers l'arrière du crâne, le long de la nuque ; une épingle s'échappe de sa coiffure. Comment se remettre d'un tel moment ? Elle n'a jamais vécu un tel orage d'émotions. Elle n'ose pas s'avouer qu'elle a envié la femme de l'atelier. Elle imagine sur elle les mains de Gustav qu'elle a tant observées lorsqu'il maniait ses pinceaux, elle les ressent sur sa peau. Elle garde le goût de ses lèvres, la sensation de sa barbe. Même sa honte est délicieuse.

Adèle est en désordre lorsqu'elle rentre chez elle. Elle a renfilé sa bottine pour effacer les traces des derniers instants.

Hannah lui annonce que Mme Thérèse souhaite la voir.

– Dites-lui que je la verrai demain, je ne me sens pas très bien, mes migraines reprennent.

Le poids de ses tourments intimes l'écrase. Adèle se réfugie dans sa chambre, elle ne dînera pas ce soir. Ses maux de tête ne sont plus imaginaires. Son sang bat dans ses tempes, un étau lui enserre douloureusement la nuque. Elle ne veut que l'obscurité, une nuit entière à broyer du noir. Elle fait mine de dormir lorsque Ferdinand entrouvre la porte de sa chambre pour prendre de ses nouvelles. Elle devine sa présence au-dessus d'elle. Il lui caresse les cheveux.

– Dormez bien ma chérie, je suis là.

Puis Ferdinand repart doucement. Ce geste d'une infinie tendresse la bouleverse. Quelques heures plus tôt, elle se laissait embrasser par un autre homme, par l'artiste le plus réputé et le plus sulfureux de Vienne, dont Ferdinand est l'un des mécènes. Adèle est submergée de honte et de remords. Le pire n'est pas de s'être laissé arracher un baiser par un homme comme Klimt, mais d'en avoir été ébranlée. Elle voudrait se dissiper dans la nuit. Elle se reproche d'avoir trahi Ferdinand, mais il est trop tard. Klimt est déjà en elle. Il a pris possession d'elle depuis la première séance de pose. Il connaît chaque partie de son corps. Même recouverte d'une robe, Adèle a ressenti son regard caressant sur chaque parcelle de sa peau. Cet œil de feu se posant tantôt sur elle, tantôt sur le portrait. L'a-t-il imaginée nue ? Forcément ! Elle rougit à cette évocation qui appelle l'image de la femme de l'atelier, offerte et gémissante. Adèle ne sait pas, ne sait plus. Mais dans son rêve, elle est la femme de l'atelier.

Aux premières heures du matin, le souvenir de la veille l'envahit, provoquant un trouble si puissant qu'elle le refoule. Une brume épaisse recouvre la ville et masque le toit des immeubles. Adèle a promis à Thérèse de l'accompagner avec ses enfants au Prater. Les petits étaient tout excités à l'idée de grimper dans les attractions. Elle n'aime pas cette ambiance de foire ni ces odeurs de beignets, mais cette journée lui évitera de penser à Gustav Klimt.

– Hannah, faites savoir à Thédy que je serai prête dans une heure.

Vite, reprendre une vie normale.

– Bien madame. Monsieur Ferdinand m'a également chargée de vous remettre ceci.

Hannah lui tend un pli qu'Adèle ouvre doucement ; elle lit les quelques mots inscrits à l'encre noire et reconnaît aussitôt la jolie écriture fine et penchée de Ferdinand :
« Vous serez à tout jamais la femme de ma vie. »

Adèle replie immédiatement la feuille de papier bleue portant les initiales de son mari, comme si elle lui brûlait les doigts. Pourquoi lui fait-il cette déclaration justement aujourd'hui ? Ferdinand ne la mérite pas. Elle ne reverra pas Gustav Klimt, elle s'en fait la promesse. Il a déjà bien assez de maîtresses comme ça, elle ne serait qu'une pièce de plus à sa collection. Il ne la couchera que sur la toile, pas sur son matelas. Que d'autres se vautrent si ça leur chante, mais pas elle. Pas Adèle Bloch, épouse de Ferdinand Bloch.

Ils n'ont échangé qu'un baiser, un baiser enflammé évidemment, mais elle n'était pas dans son état normal. Sa chute lui a fait perdre ses repères. Elle a vacillé, voilà tout.

Ces choses-là arrivent. Elle ne se reconnaît pas, elle s'est laissé envoûter, détourner par cet homme arrogant. Il a un ascendant sur elle, comme sur tous ses autres modèles. Ce qu'elle a vu dans l'atelier du maître est l'antidote à la passion funeste qui a failli l'emporter. Elle n'est pas et ne sera jamais l'une de ces femmes faciles dont il fait ses proies. N'a-t-elle pas entendu Schindler dire que Klimt aimait jouer avec les sentiments? Un cynique en plus. Elle doit s'éloigner de cet homme à n'importe quel prix. Il ne s'est jamais marié, il est incapable de s'engager auprès d'une femme, ne serait-ce qu'une seule femme. Il n'en aime pas une, il les aime toutes. Il les lui faut toutes.

Comment cette Emilie Flöge peut-elle supporter ses liaisons à répétition? Elle est sa compagne officielle, celle qui le suit dans les réceptions de la Schwindgasse et au théâtre, mais elle ne peut ignorer les autres. Et Alma Schindler, devenue l'épouse de Gustav Mahler, qui lui a avoué que Klimt fut le premier véritable amour de sa vie. Elle n'avait que dix-huit ans quand son beau-père, Carl Moll, lui présenta l'artiste. Il a rôdé autour d'elle pendant des mois. Elle au moins a résisté, en partie. Elle a refusé de venir poser dans son atelier. Mais lui, Klimt? Il paraît qu'il a été fou d'elle, peut-être l'est-il toujours. Et cette Sonja Knips, épouse d'un puissant sidérurgiste de Bohême, a accepté beaucoup plus, à ce que l'on dit. Il paraîtrait même qu'elle conserve sur elle une photographie de l'artiste. Mais où s'arrêtera cette liste ?

Il lui revient encore à l'esprit ce qu'elle a entendu sur Serena Lederer. Schiele lui-même a jugé bien peu convenable qu'une dame de l'aristocratie prenne des cours de dessin dans son atelier. La rumeur viennoise affirme que Mme Lederer a servi de modèle pour des scènes adultérines hautement érotiques. Comment a-t-elle pu compromettre ainsi sa réputation, son avenir et celui de ses enfants ? Perturbée par cette succession d'images, Adèle n'a pas vu l'heure. Elle doit se préparer pour le Prater.

Tout en s'habillant, Adèle est agitée, fiévreuse. La raison et les usages, si puissants pour une femme comme elle, lui conseillent de chasser Klimt de ses pensées et de sa vie. Mais sa force magnétique, animale, l'attire. Est-elle dans cet état amoureux aux effets dévastateurs dont Freud explique qu'ils prennent racine au plus profond de notre inconscient ? Au fil des minutes, ses digues intérieures s'effondrent, elle ne parvient plus à refouler cette vague qui la submerge. Elle est emportée. Impossible de sortir aujourd'hui encore.

– Hannah, annulez tout. Prévenez Thérèse. Mes migraines reprennent. Laissez-moi dans le noir. Par pitié aucun bruit.

10. Vers le haut

Adèle se morfond. Depuis deux jours, elle guette avec anxiété le messager qui lui apportera un pli de Klimt. Au moins un mot. Mais rien, elle n'a aucune nouvelle de celui qui l'occupe toute. Le souvenir du baiser lui brûle encore les lèvres, comme la réminiscence de sa main à lui qu'elle a sentie remonter le long de sa jambe fébrile. Impossible pour Adèle de songer à ces gestes sensuels sans que son cœur ne s'affole et son corps ne s'échauffe. Elle se sent vide, vide de lui.

Elle voudrait ne plus jamais entendre parler de cet homme, mais sa voix grave et envoûtante l'obsède. La façon dont il murmure les mots de l'amour, dont il parle si crûment et naturellement de la chair lui procure de délicieux frissons. Non, elle ne lui donnera pas signe de vie, ce n'est pas à elle de se compromettre une fois encore. La colère reprend le dessus par instants. Elle lui en veut terriblement de se comporter comme un malotru. Son attitude est pire encore qu'une rebuffade. Comment ose-t-il la laisser dans ce silence si lourd après ce qu'il s'est passé entre eux ?

S'il était en face d'elle, elle le giflerait très certainement. Elle lui dirait ce qu'elle a sur le cœur et tant pis pour les usages. Elle ne le reverra plus, elle s'en fait le serment. Elle ne trouve pas de mots assez durs pour qualifier son comportement. Elle sent monter son désespoir. Elle ne compte pas davantage pour lui que toutes ces filles qui viennent poser.

Adèle se sent diminuée, salie, maltraitée. Cet homme n'a aucune estime pour elle. Elle déteste se sentir dans cet état d'infériorité et de fragilité. Pas même un mot de politesse : rien, il n'a rien envoyé. Elle s'en veut tellement d'avoir cédé à cette tentation. Un flot d'amertume se lève en elle. Le flot se mue en vague, elle a tout juste le temps de rejoindre sa chambre qu'elle fond en larmes. La vague jaillit, l'éclabousse et l'emporte. Elle sanglote comme cela ne lui était pas arrivé depuis longtemps. Comment peut-elle être si faible et se languir de ce monstre ? Elle enrage encore davantage de se comporter comme une enfant, une jeune fille ingénue qui ne saurait rien de la vie. C'est si proche de la vérité, elle ne connaît pas grand-chose de l'existence… Mais que connaît-elle de l'amour si ce n'est ce qu'elle en a lu dans les romans ? Elle se sent aussi stupide que cette Madame Bovary qui avait fait scandale à la sortie du roman qu'elle avait lu juste avant son mariage. Son français imparfait ne lui avait pas permis de tout saisir, mais elle en avait retenu que trop de romantisme excède et fait fuir les hommes. Enfin cette sorte d'hommes qu'on nomme les prédateurs. Elle s'est suffisamment ridiculisée et humiliée. L'indifférence, voilà ce qu'elle doit lui montrer, la plus implacable des indifférences.

Ferdinand ignore ce qui ronge sa femme. Il la regarde touiller distraitement son thé, la tasse posée sur une main, alors qu'elle ne prend jamais de sucre. Elle n'en consomme plus depuis des années, depuis sa première visite, en 1900, dans les manufactures de son mari. Adèle demeure une énigme pour lui, elle reste indéchiffrable. Il le lui fait remarquer et Adèle s'en amuse :
– Cela tombe bien, monsieur l'homme d'affaires, je ne suis ni un chiffre ni un bilan comptable !
Il adore son esprit d'à-propos, il insiste, elle peut tout lui dire. Et comme à chaque fois, elle assure que tout va bien et vient l'embrasser en gage de bonne foi. Il sait qu'elle souffre de ne pas avoir d'enfants. Il a compris aussi, l'autre soir dans la bibliothèque, qu'Adèle a besoin de compensations. Elle aime s'ouvrir l'esprit, elle envie les femmes qui

assument leur émancipation. Mais il ne voit pas comment son épouse pourrait devenir une femme libre, une de ces femmes indépendantes qui passent plus de temps en dehors de leur foyer. Si seulement elle avait pu donner naissance à un enfant, son esprit et ses journées auraient été occupés.

Thérèse ne se pose pas toutes ces questions, elle n'en a guère le temps avec sa marmaille. Ferdinand est lui-même si souvent absent à sillonner l'Empire pour conclure de nouveaux marchés qu'il ne peut imaginer combien l'ennui peut rendre fou. Mais il est là ces jours-ci, il peut au moins tenter de lui changer les idées, ils iront demain soir au Burgtheater, on y joue une représentation de *La Mégère apprivoisée* de Shakespeare. Voilà une comédie qui la distraira et lui fera le plus grand bien. Lorsque au cours du dîner il lui annonce qu'il a l'intention de l'emmener le lendemain au théâtre, Adèle feint d'en être heureuse. Oui, c'est ça, il suffit de jouer la comédie comme les actrices. Après tout, ce sont les mêmes gestes qu'il faut mimer. Pour avancer, il suffit de mettre un pied devant l'autre, de conduire sa fourchette à la bouche pour s'alimenter et ainsi de suite. Toutes ces choses évidentes et sans intérêt qu'il faut renouveler quotidiennement.

Elle est reconnaissante envers cet homme qu'elle a épousé et qui ne renonce pas une seconde à l'aimer. Il n'est peut-être pas tout à fait de son temps, mais il progresse. Il n'y a qu'à voir comme il s'est intéressé à l'Art nouveau, alors qu'il n'y connaissait rien. Elle a seulement perdu la tête quelques minutes, rien de plus, elle ne doit pas se laisser aller plus longtemps. Elle est encore une honnête femme.

Le lendemain, Adèle se montre de meilleure disposition, sa fantaisie est revenue comme un jour de printemps. Une quinzaine de minutes après s'être levée, elle s'étonne de ne pas encore avoir pensé à Klimt, pas même une seconde. Elle n'a pas non plus demandé à Hannah si une lettre était arrivée. « La chose passe », se dit-elle. Pour un peu, elle crierait victoire. Après une visite à Thérèse et aux enfants, elle réfléchit à sa tenue du soir. Elle opte pour la robe or et noir, en mousseline de soie, brodée de perles moirées, avec ses manches Byzance. Adèle l'accompagnera d'un chapeau à larges passes agrémenté de plumes de cygne, elles aussi teintées d'or. Elle entend montrer qu'elle n'a nullement besoin de Klimt pour être une dame en or.

Les Bloch se font conduire sur le Ring. Les fiacres et cabriolets attendent leur tour pour stationner devant le théâtre et déposer leurs passagers. Ferdinand sort le premier, saisit la main fine et gantée de sa femme et l'aide à descendre tandis qu'elle maintient relevée sa robe de gala. Adèle est resplendissante, elle monte le grand escalier du théâtre au bras de son époux, fort élégant lui aussi dans son habit grand soir, coiffé d'un haut-de-forme. Le couple salue quelques amis, les Rothschild et les Wittgenstein.

À la première sonnerie, ils partent s'installer dans leur loge. Adèle évite de regarder les fresques peintes par les frères Klimt et leur ami Franz Matsch. Mais il lui est impossible de ne pas les voir, ces œuvres s'imposent à elle, là sous ses yeux. Il y a les deux plafonds peints, magistraux et impressionnants, au-dessus de chaque escalier. D'un côté, la reproduction du théâtre de Taormina en Sicile, de l'autre celle du théâtre du Globe de Londres avec la scène finale de *Roméo et Juliette*. Et comme pour mieux la narguer, en arrière-plan, Klimt et ses acolytes se sont immortalisés. Le peintre semble la fixer de son regard perçant et insistant. Il n'est pas question pour elle de se laisser atteindre, malgré elle, par celui qu'elle nomme en pensées « cet individu » ni de gâcher cette soirée. Elle vient dans ce théâtre deux fois par mois, elle connaît par cœur ces fresques comme toute l'œuvre de Klimt du reste. Elle refuse de croire que la femme peinte soit Emilie Flöge, comme cette dernière le prétend à ses clientes. Une fois installée, Adèle sort les jumelles de son sac et commence à observer l'assemblée colorée par les tenues des élégantes, avant que le lourd rideau rouge ne se lève. Elle balaie la salle du regard vers la droite puis la gauche, adresse un salut de la main à l'une de ses connaissances.

Le théâtre est plein, il y a là plus de mille personnes empressées pour assister à cette représentation de l'une des premières pièces de Shakespeare. Déjà une heure vingt de jeu lorsque les trois coups rituels retentissent pour l'entracte. Adèle est enjouée et attrape le bras de Ferdinand tout en lui expliquant qu'elle a beaucoup ri lorsque l'ivrogne s'est réveillé dans la peau d'un riche aristocrate. Sa fibre sociale se ranime, elle ajoute que cela devrait arriver dans la réalité. Elle se moque gentiment de Ferdinand, si attaché aux privilèges que lui confère sa fortune.

Ils descendent le grand escalier pour rejoindre le foyer lorsqu'ils tombent nez à nez avec… Gustav Klimt accompagné d'Emilie Flöge, flamboyante dans sa robe rouge carmin, tellement fière de s'afficher avec le maître. Adèle est pétrifiée. Vite masquer cet excès d'émotion, pourvu que Ferdinand ne se doute de rien. Ni Klimt. Adèle sent ses jambes se dérober et doit faire un effort surhumain pour ne pas se trahir.

– Donnez-moi du feu, Ferdinand, s'il vous plaît, dit-elle en sortant son élégant fume-cigarette afin de se donner de l'assurance.

Elle avale aussitôt une longue bouffée qu'elle recrache doucement en faisant un rond très accentué avec sa bouche tandis qu'elle regarde vers le haut. Vers le plafond richement décoré par l'homme debout devant elle et ses deux acolytes, son frère Ernst et Matsch. Il tombe mal, elle ne veut pas le voir.

L'artiste ne laisse rien apparaître. Il saisit la main d'Adèle, impériale, y dépose ses lèvres avant d'échanger une franche poignée de main avec Ferdinand.

– Quelle belle surprise de vous rencontrer ici, chère Adèle, cher Ferdinand.

Il met en avant sa compagne.

– Je ne vous présente pas Mlle Flöge.

– Non bien sûr, nous nous connaissons, finit par répondre Adèle dans un sourire contraint.

– Alors cher Gustav, quand aurai-je le privilège de voir le portrait de mon épouse?

– Dès qu'il sera terminé! Mon départ de la Sécession a retardé une série de toiles que j'avais en cours. Mais je vais accélérer mon travail et je vous assure que vous ne serez pas déçu.

Puis se tournant vers Adèle:

– Et j'ai besoin de vous, quand comptez-vous revenir dans mon atelier?

– Je… je l'ignore. Je vous ferai prévenir rapidement dès que je serai disponible.

Ferdinand paraît surpris, presque fâché.

– Mais enfin Adèle, ne tardez plus! Pourquoi faire attendre notre ami. Et moi alors? Je n'ai pas le sentiment que vos journées soient si remplies pour que vous ne puissiez pas avoir le temps de poser? Je meurs d'impatience de voir ce tableau achevé. Faites-moi ce plaisir, allez vite reprendre vos séances de pose. Je ne serai heureux que lorsque je pourrai l'accrocher dans notre maison et l'admirer du matin au soir.

Adèle est interdite. Les deux hommes sont ligués contre sa personne et ce jeu de dupes la met hors d'elle. Mais comment Ferdinand pourrait-il comprendre ce qui se trame? Gustav veut l'attirer à nouveau dans son repaire, elle ne doit pas y retourner. Elle y serait en danger. Elle ne sait que trop ce qu'elle a ressenti lorsqu'il l'a approchée. Un violent frémissement la parcourt depuis le creux de ses reins jusqu'à l'extrémité de ses membres. En y songeant, simplement en y songeant.

La situation embarrassante n'a pas le temps de s'éterniser, la sonnerie retentit à nouveau trois fois, c'est la fin de l'entracte. Ils n'auront pas eu le temps d'acheter quelques sandwichs. C'est Emilie Flöge qui rompt le silence gênant:

– Chère madame Bloch, je serais si heureuse de vous recevoir dans mon salon. Je pourrais vous montrer mes nouvelles créations, dit-elle en se cramponnant au bras de Gustav Klimt, le regard appuyé vers celui d'Adèle.

Adèle se fend, d'un « bien sûr » peu convaincant. Les deux couples se saluent et se séparent, prennent les deux escaliers opposés.

Ferdinand enfonce le clou :

– Quel personnage ce Gustav, c'est tout juste s'il n'est pas avec une femme différente à chaque fois que nous le croisons !

Adèle prend un air le plus détaché possible :

– L'enviez-vous ? Il n'est pas marié et ne croit qu'à son art. Les femmes ne comptent pas pour lui. Seulement pour ce qu'elles pourraient représenter sur ses toiles. La moitié de Vienne lui sert de modèle.

– Peut-être, mais c'est votre portrait qui marquera son œuvre, j'en suis convaincu.

Tous deux reprennent place dans leur loge. L'émotion ne quitte pas Adèle, elle peine à se concentrer sur la deuxième partie de la pièce. Elle se perd dans des réflexions qu'elle tente de refouler, prend la main de Ferdinand comme s'il pouvait lui servir de bouclier. Elle accepte la position de repli sur ce champ de bataille des sentiments. Les cinq actes lui paraissent interminables.

Enfin, la pièce prend fin. Après quatre rappels, les comédiens saluent une dernière fois sous des applaudissements toujours aussi nourris. L'humeur maussade d'Adèle s'est installée, même la pièce de Shakespeare l'a agacée.

– Toujours le mauvais rôle donné aux femmes, évidemment, quand cela cessera-t-il ? Il faut que les femmes soient soumises, toujours plus soumises aux hommes, ceci est insupportable !

– Allons, allons ma chérie, calmez-vous. Shakespeare est mort il y a près de quatre siècles, laissons-le en paix. Les choses ont changé depuis.

– En quoi ont-elles évolué Ferdinand ? Les femmes dirigent-elles le monde avec les hommes, exercent-elles les professions de médecins, avocats, banquiers et que sais-je encore ? Non bien sûr et elles ne sont que leurs subordonnées. Enfin, non même pas, elles doivent se comporter comme de bonnes épouses et rien d'autre.

– Je crois ma chérie que nous avons eu cette conversation cent fois ou peut-être même mille. Rentrons.

– Oui, rentrons.

Adèle se radoucit, s'accroche à son mari. Elle veut fuir ces mondanités qui, ce soir, lui semblent assommantes. Elle se sent injuste face à Ferdinand. La goujaterie de Klimt ne doit pas avoir de conséquences sur lui. Il ne mérite pas d'être maltraité. Et dans le cabriolet qui les ramène chez eux, Adèle donne un baiser à son époux qui, surpris, le lui rend bien volontiers.

Son désir provoqué par cette rencontre inopinée se prolonge dans leurs appartements. Ce soir-là, pour la première fois depuis des semaines, ils ne font pas chambre à part.

11. La prochaine fois
que vous viendrez

Après la rencontre fortuite au théâtre, Adèle prend de fermes résolutions. Elle regardera désormais Klimt pour ce qu'il est. Un grand artiste doublé d'un fauve dangereux qu'elle doit tenir à distance. Comment oublier un homme que tout Vienne vénère ou maudit, mais dont le murmure perpétuel ne concerne que lui ? Une partie de la ville porte aux nues ses œuvres quand l'autre les exècre. Et il y a ce portrait qui doit se terminer. Ferdinand ne pourrait pas admettre qu'il en soit autrement. Ne plus y retourner serait un aveu silencieux. Elle surmontera ses réticences, mais une seule fois. Pas une de plus. Adèle s'est imposé toute une série de tâches pour cette journée qu'elle veut sereine.

Elle commence par passer en revue ses tenues. Elle compte retourner voir les réfugiés et apporter ce qui ne lui servira plus. Il y a ces tricots d'intérieur qui seront plus utiles à ces femmes démunies qu'à elle qui ne souffre que rarement du froid. Il ne manque jamais de charbon à Schwindgasse. Hannah apporte ce qui lui semble pouvoir être remisé.

– Que veut faire madame avec ce cache-cœur qui est bien joli ma foi?

– Eh bien, je crois qu'il ferait plaisir à ma chère femme de chambre n'est-ce pas?

– Madame, je ne voudrais pas…

– Il est pour vous, Hannah, et ça ne se discute pas!

Voilà qu'on sonne à la porte. Elle s'enfuit avec le cache-cœur et s'en revient avec à la main une lettre qu'elle tend aussitôt à Adèle.

– Hannah, continuez sans moi.

Adèle se réfugie dans son boudoir. Elle a reconnu l'écriture de Klimt. Elle sort le billet de l'enveloppe; elle en ressent des picotements jusqu'au bout des doigts. Il ne comporte que quelques mots:

« Chère Adèle, je vous attends demain à quatorze heures dans mon atelier, nous reprendrons là où nous nous sommes interrompus. Amitié sincère. »

S'asseyant pour surmonter le choc, Adèle tente de reprendre ses esprits. Elle ne peut s'empêcher de se tourner vers son miroir, elle s'en approche plus près. Très près. Elle se regarde comme si elle était une inconnue. Elle essaie de lire en elle-même, de décrypter ce qu'elle éprouve. Car elle ne le sait pas elle-même.

Elle a espéré ce billet, mais pas ces quelques mots comminatoires et tendancieux. «Reprendre là où nous nous sommes interrompus.» Mais quel rustre! Que veut-il dire? De quoi parle-t-il? De la toile? Du baiser? Non, il n'oserait pas tout de même! Les pensées indémêlables d'Adèle se perdent dans la confusion. Fébrile, elle laisse tomber la feuille de papier à même le sol et part s'allonger dans sa chambre pour réfléchir, se confronter à ses propres émotions quand Hannah l'interrompt en lui tendant le message.

– Madame ne se sent pas bien?

– Si, si Hannah, ça va merci, je prends juste un peu de repos. Je crains que mes maux de tête ne m'assaillent à nouveau. Donnez-moi mes cigarettes.

Hannah la connaît si bien. Elle est à son service depuis son mariage… sept ans maintenant. À peine plus jeune qu'Adèle, elle la comprend d'un simple coup d'œil. Elle devine que le pli qui lui a été apporté l'a plongée à nouveau dans des affres de mélancolie. Elle connaît cet air songeur, ce regard perdu, ces lèvres qui se tordent et qu'elle mordille. Mais qu'est-ce qui a pu plonger sa maîtresse dans cet état? Ça, elle l'ignore.

– Hannah, emplissez un bain.

De l'eau, de l'eau chaude, c'est ça qu'il lui faut. Plonger son corps dans ses onguents apaisera ses maux et l'aidera à assembler ses pensées.

Adèle baigne dans ce fumet depuis plus d'une demi-heure. Elle n'a toujours pas pris de décision sur ce qu'elle fera le lendemain. Ira-t-elle ou non dans cet atelier? Obéira-t-elle à Klimt qui la convoque sans aucune cérémonie? Ne céder ni à ses exigences ni à la tentation, voilà l'issue; mais aussitôt la vie devient vide de sens. Oui il y a bien quelque chose de vertigineux à retourner là-bas. En songeant à ce qu'il s'est passé, près du marronnier, elle est prise de frissons qui secouent son corps entier. Il vaut mieux sortir de son bain dont l'eau s'est refroidie. Hannah l'attend, prête à la frictionner avec cette eau de Cologne dont on raffole jusqu'à Paris. Mais rien n'y fait.

Ferdinand est absent, Adèle se couche tôt. La nuit qu'elle espérait réparatrice est affreuse, entrecoupée de visions fantasmagoriques. Les femmes de Klimt émergent des tableaux, comme par magie, et viennent la narguer. Certaines se balancent nues au-dessus d'elle sur des nacelles faites de draps. D'autres se couchent à ses pieds et tentent de l'attirer vers elles. Adèle connaît ces peintures de Klimt sur lesquelles des femmes nues s'embrassent les unes les autres, s'étreignent avec des gestes sensuels. Elles ont des visages et des allures comme on en rencontre peu dans

Vienne. Elles sont longilignes, blondes avec des chevelures interminables qui viennent caresser voluptueusement leurs reins. Leurs seins sont petits et ronds, parfaits pour tenir dans la paume d'une femme.

Adèle se réveille trempée de sueur. Elle retire prestement sa main coincée entre ses deux cuisses, contre son sexe. En soulevant ses cheveux, elle s'aperçoit que sa nuque est inondée. Mais elle a aussitôt froid à claquer des dents. Comme si un hiver entier s'était réfugié dans son corps. Elle se souvient alors de ses huit ans et de ce vent glacial qui lui cinglait les joues, comme des lames. Les bonnets et écharpes devenaient durs et figés après quelques minutes seulement passées à l'extérieur. Cette année-là, le Danube avait gelé, des monceaux de glace s'étaient formés sur les rives. Il avait fallu construire des barricades pour protéger la ville de ce drôle d'envahisseur.

Adèle grelotte de plus belle, elle a huit ans, elle a vingt-cinq ans, elle ne sait plus. Il lui faudrait des bras pour l'enlacer, lui réchauffer le cœur, lui frotter le dos avec vigueur ou avec douceur. Ça non plus, elle ne sait plus. Elle relève son édredon plus près de son visage, prête à s'enfoncer à nouveau dans sa nuit tourmentée. Brutalement, elle rejette ses couvertures ; sans qu'elle n'ait eu le temps de réfléchir, la voici assise avec une nouvelle résolution

Elle ira, cette fois c'est décidé, elle se rendra dans ce maudit atelier. Surseoir ou annuler reviendrait à se laisser torturer par des semaines d'agitations. Il faut achever cette toile, Ferdinand ne le comprendrait pas. Elle mettra sa robe jaune et or, celle du tableau. Il n'y aura ainsi pas d'ambiguïté. Il en déduira aussitôt qu'elle est venue pour poser et rien de plus.

Elle appelle Hannah.
— Préparez-moi ma robe de Klimt (c'est ainsi qu'elle la nomme quand elle en parle) et un déjeuner léger. Je partirai aussitôt après, prévenez Franz.
La matinée s'étire en longueur. Aucun livre ne retient son attention, son piano l'ennuie. Elle écoute le tic-tac de l'horloge, le temps a beau être le même quoi qu'il arrive, il doit bien y avoir une science pour démentir cela. Certaines minutes en valent dix ou vingt et même une éternité.

Au déjeuner, c'est à peine si elle peut avaler quelques bouchées de cette tourte à la viande. Ferdinand n'a pas eu le temps de rentrer et c'est tant mieux. Elle n'a pas à sourire ni à lui parler du temps qu'il fait. De cette pluie qui n'arrête pas de cogner contre les vitres depuis le matin, sans discontinuer, et qui pourrait la rendre folle.

Enfin, l'heure de s'habiller. Hannah l'aide à serrer son corset puis à enfiler la robe. Elle lui pose ensuite sur les épaules une large cape à volant. Franz vient chercher

Adèle sur le pas de la porte, un parapluie à la main, pour la protéger et l'aider à monter dans le fiacre.

– Allons-nous chez M. Klimt, madame?

Adèle se contente d'un acquiescement du menton. Les chevaux remontent la Schwindgasse avant de tourner à droite et disparaître à travers les rideaux de pluie. Les rues sont quasiment désertes.

Lorsque la voiture parvient devant l'atelier, la pluie s'est calmée mais le sol est détrempé. Adèle doit maintenir sa robe au-dessus de ses bottines si elle ne veut pas que le bas ressemble aux tenues des femmes des faubourgs. Klimt l'attend dans le jardin. Il tient son chat dans les bras; Adèle ne saurait dire lequel est le plus ruisselant des deux. L'homme ou l'animal. La barbe et les cheveux du peintre ressemblent à des écheveaux de laine tout juste lavés, puis à peine essorés. Avec hardiesse, malgré les violents cognements de son cœur, Adèle prend les devants et renverse la situation vécue précédemment.

– Mais Gustav que faites-vous là, trempé comme vous êtes? Vous allez vous rendre malade, rentrez vous réchauffer.

– Je cherchais mon chat, il déteste la pluie. Oui, rentrons.

Klimt s'écarte pour laisser passer Adèle devant lui. Sa longue blouse goutte sur le sol jusqu'à créer une petite mare d'eau.

– Attendez-moi quelques minutes, Adèle, je vais me changer.

Adèle n'a toujours pas retiré sa cape. Elle regarde autour d'elle. Ses yeux se posent sur le grand divan, elle revoit aussitôt la femme de l'atelier dans sa pose lascive. Sur la table de travail, elle s'aperçoit que le peintre a préparé tout ce dont il aura besoin pour la séance. Il a soigneusement aligné ses pinceaux, spatules et balais. Quelques feuilles d'or sont délicatement disposées en rangs.

Klimt revient de la pièce voisine revêtue d'une nouvelle blouse, semblable à la précédente, qui lui recouvre le corps entier. Il engage Adèle à se défaire de sa cape, sans lui proposer la moindre boisson chaude, et lui suggère de débuter leur session. Il s'approche d'Adèle pour l'aider à retrouver la pose habituelle. Il tient dans sa main l'esquisse et son regard va et vient entre la feuille et le modèle. Il rectifie la posture d'Adèle et tourne son visage légèrement vers la gauche.
– Je vais travailler plus particulièrement le visage, puis je vous montrerai comment je compte utiliser les feuilles d'or.
Adèle ne sait quoi ajouter. Leur tête-à-tête a perdu de son insouciance, leur complicité s'est envolée.

Klimt peint dans un silence pesant. Tous les silences ne se ressemblent pas. Celui-là n'a rien à voir avec une sérénité muette. Il y a entre eux ce moment, ce baiser, cet unique baiser, échangé il y a plusieurs jours, qui les oppresse, l'un comme l'autre. Adèle plus encore. Elle tressaille.

– Quelque chose vous indispose?

– Rien, sans doute un léger refroidissement à cause de la pluie.

– Je vous fais apporter du thé.

Klimt repose le pinceau, appelle sa gouvernante et commande du thé «brûlant».

– Détendez-vous, Adèle, nous reprendrons après le thé.

– De combien de temps, aurez-vous encore besoin pour achever le tableau?

– C'est une question délicate. Je dois d'abord terminer votre visage. C'est le plus important. Vous avez les traits si fins, et une expression si particulière, totalement désarmante, je m'en voudrais de ne pas la saisir comme je la vois. Il y a une tristesse en vous qui irradie avec l'intensité du soleil. À moins que cette expression me soit réservée, que je sois le seul à la percevoir. Dans ce cas, faut-il l'offrir à tous les regards ou dois-je la conserver pour moi seul?

Adèle ne relève pas cette allusion, reste de glace, ne montre pas la moindre émotion. Klimt poursuit:

– Si vous le souhaitez, je pourrai continuer sans vous, sur la base d'une photographie. Le travail qu'il me reste à effectuer est celui de la robe. Je vous montrerai tout à l'heure. Je me laisserai gouverner par l'ornementalisme byzantin. Ces mosaïques m'ont ravi et inspiré lors de mon voyage à Ravenne. Vous ne serez qu'or, Adèle, tout or. Je vous enfermerai dans une cage d'or et vous ne serez plus qu'à moi à défaut d'être mienne.

Hermine, la gouvernante, vient au secours d'Adèle avec son plateau de thé fumant. Elle dispose les tasses sur la table et sert Mme Bloch avant Klimt. Lorsque la vieille femme s'est retirée, ils se font face. Adèle ne trouve rien à dire qui pourrait la dégager de cette situation embarrassante. Elle n'a que vingt-cinq ans et si peu d'expérience de l'amour.

– Je le sens, Adèle, vous n'arrivez pas à vous détendre. Est-ce à cause de ce qu'il s'est passé l'autre jour, sous le marronnier?

Klimt n'attend pas la réponse. Il s'avance près d'Adèle, lui retire la tasse des mains, s'approche encore. Ses lèvres sont si proches qu'Adèle peut sentir sa barbe contre sa peau.

– Non Gustav, laissons cela. Je ne suis pas l'une de vos modèles qui obéissent à tous vos caprices. Je ne suis pas de celles que vous allez coucher sur votre divan à chaque séance de pose, de celles qui n'attendent que ça. Laissez-moi maintenant, je vous en prie, laissez-moi ou je pars.

Adèle tremble de tout son corps. Elle a prononcé cette phrase sans l'avoir réfléchie, mais le regard ardent de Klimt sur elle la consume.

– Gustav, vous faites fausse route. Vous faut-il donc toutes ces femmes? Et votre Emilie Flöge que vous emmenez partout, n'avez-vous donc aucun respect pour elle?

– Adèle, oui j'aime les femmes, ce n'est un secret pour personne. Je ne me suis pas marié, je ne serai jamais l'homme d'une seule femme. Je ne dois rien à personne, j'ai choisi la liberté. Je suis une âme solitaire… mais je n'aime pas être seul! Les femmes m'émeuvent au point de vouloir leur offrir l'éternité, à chacune. Adèle, me croirez-vous si je vous dis que vous êtes si différente? Vous êtes de la même race que moi, je le sais. Vous êtes une femme libre. Vous n'êtes pas née pour les carcans, pour vous consumer, étouffée dans ces codes bourgeois. Emilie me convient justement parce qu'elle est l'inverse de vous, elle accepte ce que je lui impose. Elle est la compagnie idéale quand je n'en ai pas d'autres. Mais au fond, elle ne m'a jamais vraiment plu. Je peins le visage d'Emilie depuis mes débuts. J'ai commencé à la représenter, vous veniez tout juste de naître. Je connais par cœur chacun de ses traits et depuis toujours. Vous le savez Adèle, elle était la belle-sœur de mon frère Ernst. Aujourd'hui, elle est ma sœur, elle est mon amie. Je ne fais d'ailleurs pas de différence avec Hélène. Et puis, elle est quelconque. Vous ne l'êtes pas. Vous avez cette chose indescriptible qui fait de vous une reine. Une grâce que l'on ne rencontre qu'une fois dans une vie.

– Vous êtes odieux Gustav, entendez-vous de quelle façon vous parlez d'Emilie alors qu'elle vous a offert sa jeunesse? Quels termes emploierez-vous pour me désigner lorsque vous parlerez de moi plus tard? Est-ce là le discours que vous tenez à toutes?

– Donnez-moi votre main, Adèle, et vous saurez que je ne vous mens pas.

Adèle garde ses mains serrées l'une dans l'autre. Klimt lui attrape doucement cette main légèrement handicapée qu'il maintient entre les deux siennes. Le temps s'arrête. Le froid qui s'était glissé dans ses veines disparaît peu à peu, supplanté par une sensation de danger. Elle ne veut pas se laisser aveugler par la faconde de ce séducteur. L'image de la femme de l'atelier devient obsessionnelle. Adèle parvient à se dégager et par instinct de survie lance Gustav sur le sujet qu'il préfère entre tous : sa peinture.

– Gustav, montrez-moi comment vous comptez utiliser les feuilles d'or.

Klimt comprend qu'il ne doit plus insister. Adèle est à nouveau apeurée, verrouillée. Reculant de quelques pas, le peintre lui fait une démonstration d'incrustation des feuilles d'or sur ce qui deviendra son portrait. Il les saisit une à une délicatement avec l'aide d'une pince extrêmement fine, il les dépose ensuite tout aussi subtilement à leur emplacement prévu. Puis avec un chiffon il donne de petits à-coups pour que la feuille d'or se plaque parfaitement sur la toile. Adèle observe avec fascination le travail d'expert.

– C'est magnifique, éblouissant. Je ne trouve pas les mots. Vous savez que je voudrais vous acheter des dessins.

Ferdinand me laisse la totale liberté du choix. Vous m'en montrerez, n'est-ce pas?

– Bien sûr. Je vous en présenterai plusieurs la prochaine fois que vous viendrez et vous choisirez.

Lorsque Adèle revient la semaine suivante, la tension érotique s'est évanouie. L'art est à nouveau leur trait d'union. Et Ferdinand celui qui les protège l'un de l'autre.

Adèle déborde d'enthousiasme en examinant les dessins sélectionnés par Klimt. Le peintre a pris conscience de la fragilité de ses liens avec la famille Bloch. Il aime la compagnie d'Adèle et ne veut pas risquer de la perdre. Ferdinand est l'un de ses plus grands mécènes, il ne peut se montrer si incorrect avec sa femme. Il ravalera ses sentiments et son désir.

Gustav Klimt a exposé sur le grand divan une vingtaine de dessins. Il s'attend à ce qu'Adèle en choisisse cinq ou six. Mais elle hésite, elle en saisit un, l'admire, en repère aussitôt un autre.

– Gustav, je n'y parviendrai jamais. J'aime tellement votre travail, je ne peux pas choisir, aidez-moi!

Le peintre s'approche d'Adèle. Pas trop près. Il garde une certaine distance, évite de croiser son regard. L'un et l'autre se concentrent sur les dessins. Adèle met de côté ceux qui lui plaisent. La pile s'épaissit.

– Voilà, je crois que j'ai terminé. Ferdinand viendra vous régler.

C'est ainsi qu'Adèle fit l'acquisition de seize dessins. Klimt n'avait pas proposé d'estampes érotiques, pas de femmes nues.

12. D'or et de pierres

Klimt est attendu à Schwindgasse à quatorze heures précises. Adèle se sent fébrile. Son portrait est enfin achevé et le peintre vient l'apporter à son commanditaire. Pour cette occasion exceptionnelle, Ferdinand a évidemment prévu d'être présent. Voilà près de trois ans qu'il attend ce moment. Adèle n'a pas voulu que son mari et elle viennent chercher l'œuvre dans l'atelier de Gustav. Elle craint que son émoi ne soit trop perceptible, comme une lumière incandescente qui transperce le boisseau. Ferdinand a accepté que la remise ait lieu chez eux, contrairement aux usages. Il avait acquiescé à toutes les conditions du peintre. Celle-ci ne l'étonne pas. Klimt ne fera jamais les choses comme les autres... Il n'oublie pas que le peintre a redonné vie à Adèle quand elle s'enfonçait dans le désespoir. Sa reconnaissance le rend indulgent.

Le cœur de Ferdinand est gonflé de fierté. Il ne sait rien du tableau, il ignore à quoi ressemblera son épouse, immortalisée par le maître. En amateur éclairé, il aime le style de Klimt mais il ne goûterait guère de découvrir Adèle dénudée. Il se dit dans Vienne que Klimt peint toujours un deuxième tableau de ses modèles. Le second, non officiel, représentant le modèle toujours nu resterait caché... Mais cette idée n'effleure même pas Ferdinand. Adèle est si noble... Sa femme est unique, fascinante par la manière dont se succèdent les saisons de son âme. Elle porte à la fois la douleur et la compassion, tout en goûtant la vie d'une manière frémissante. Avec elle, chaque jour est un autre jour.

Les deux coups de l'horloge ont retenti dans la bibliothèque où le couple Bloch s'est fait servir le café. Dix minutes ont encore passé lorsque Hannah prévient que des messieurs attendent dans le vestibule. Gustav Klimt s'avance le premier ; derrière lui deux hommes tiennent le précieux objet soigneusement emballé de draps doublement ficelés.

Ferdinand accueille le peintre avec effusion, il prend son intonation cérémonieuse, se tourne vers les porteurs pour leur indiquer le chemin de la bibliothèque. Il ne remarque pas l'échange de regards furtifs entre Adèle et Gustav. Rarement Adèle a vu son mari si prolixe, habité par une joie d'enfant impatient. Il n'a plus que deux mots à la bouche «attention» et «doucement» qu'il prononce comme si les mots eux-mêmes étaient fragiles, tout en guidant les deux hommes.

Le tableau emballé arrive à bon port, dans la bibliothèque. Il a fallu prendre toutes les précautions. La toile est de grande taille et ne doit pas cogner à l'embrasure des portes. Les porteurs ont dû la pencher à l'entrée de la pièce. Ferdinand a tout prévu. Avant un accrochage définitif, il a fait installer un grand chevalet, posté face au canapé. Cette fois, c'est Klimt qui reprend la direction des opérations. Il demande à ses hôtes de s'asseoir. Ces derniers obtempèrent, ils se pressent la main, l'un et l'autre. Adèle n'a pas vu les dernières touches, mais elle connaît l'œuvre. L'un des assistants de Klimt sort un couteau et coupe les cordelettes qui maintiennent la protection sur la toile.

D'un geste rapide, expérimenté, Klimt soulève le drap qui recouvre le tableau. Sans un mot. Ferdinand se lève d'un bond, lâchant la main d'Adèle.

– Magnifique! Sublime! Extraordinaire! Bravo Gustav.

Il saisit les deux mains du peintre, les yeux brillants, emplis de reconnaissance.

– Quelle beauté, merci Gustav. Laissez-moi prendre la main qui a réalisé une telle splendeur. Vous avez fait de mon Adèle une reine.

Ferdinand prend son monocle et regarde de plus près la toile. Il est subjugué par tout cet or, mais aussi par la symphonie des autres couleurs. Elles sont chatoyantes : l'orange, le bleu, le jaune, le gris, le brun et encore l'argent et le noir qui viennent rehausser plus puissamment la large palette du peintre.

Ferdinand ne voit pas que cette robe est l'interprétation des sentiments de Klimt pour Adèle. Il ne comprend pas que chaque ornement est le fruit d'une émotion suscitée par sa présence.

Cette robe est une écriture. Les yeux enfermés dans des triangles et incrustés dans l'étoffe représentent le désir multiple et infini du peintre pour son modèle qui semble dire : « Je te regarde, je te désire, je te protège. » Ils sont encore une façon pour lui de poser ses yeux sur chacune des parties du corps d'Adèle, pour la dévorer comme pour la préserver du monde. Ferdinand voit les deux mains jointes d'Adèle sur la toile. Il remarque qu'elle a voulu cacher son doigt busqué comme elle le fait souvent, ce qui l'attendrit. Mais pour Klimt, ce geste a un autre sens.

Ces deux mains sont la sienne et celle d'Adèle qui se tiennent et se soutiennent dans une énergie commune, dans une alliance de douleur et de joie. L'incrustation du bleu cobalt dans le bas de la robe renforce encore l'intensité et la magnificence. La traîne est un écrin et Adèle le joyau. Klimt a peint cette traîne comme un chemin qui mène à des sentiments non maîtrisables.

Adèle et Ferdinand se sont tus, les larmes aux yeux. De leur vie, un jour, il ne restera rien. La réussite de Ferdinand, son nom et sa fortune disparaîtront à jamais. La beauté d'Adèle fanera, son regard s'éteindra et son corps se mélangera à la poussière. Gustav rejoindra lui aussi son frère sous terre. La mort aura raison de leurs amours comme du reste. Mais ce tableau restera. Cette évidence les écrase et les bouleverse.

Émergeant de l'or, Adèle surgit inattendue, provocatrice et majestueuse. Son épaule est nue, la robe est retenue par une bretelle qui rappelle le collier. Sa délicatesse est mise en valeur dans cette robe à la fois imposante et élégante. Tout semble bouger, frémir, avec la même fragilité que la jeune femme dans les bras de Klimt. Mais c'est Ferdinand qui prend son épouse dans ses bras.

– Mon amour adoré, vous êtes plus belle que jamais. Notre ami vous a rendue éternelle comme je veux que vous le soyez. Regardez comme il a mis de la couleur, de l'or, de la lumière dans ce portrait. Vous êtes telle que je vous ai épousée, d'une beauté inouïe. Quel hommage vous a-t-il rendu là !

Adèle esquisse un sourire aux mots de son mari, elle comprend son invitation à laisser sa peine derrière elle. La plaie vient de s'ouvrir à nouveau. Elle aurait tant aimé posséder le portrait de Fritz, il serait devenu immortel lui aussi, elle aurait pu le regarder à souhait. Elle ravale le sanglot qui se forme au fond de sa gorge nouée. Elle ne veut pas gâcher ce moment presque sacré. Elle se doit à son mari attendri d'un côté, et à Gustav dont elle sent le regard aiguisé de l'autre. Ferdinand ne saisit rien de ce qu'il se trame entre cet homme et cette femme, pourtant sienne.

– Quels sont vos projets, Gustav, désormais?

– J'achève *Le Baiser*. Même si on ne devrait jamais terminer un baiser...

En prononçant cette phrase, il jette un coup d'œil vers Adèle tandis qu'elle détourne la tête pour dissimuler son embarras. Ferdinand se met à rire.

– Comme vous avez raison, Gustav. Le baiser est une des choses les plus exquises qui soient! Il ne faut pas en être avare.

Adèle n'aime pas le tour que prend cette conversation. Elle sent qu'il faut vite s'en éloigner et se tourne vers Klimt.

– Ne m'avez-vous pas dit que vous prépariez l'exposition de la Kunstschau en l'honneur de la soixantième année de règne de notre cher empereur, pour l'an prochain?

– Oui et à ce propos, j'ai une faveur à vous demander à tous les deux. Et même une double faveur.

– Tout ce que vous voudrez, lance aussitôt Ferdinand.

– Voilà, je voudrais pouvoir exposer le portrait d'Adèle très prochainement à Mannheim en même temps qu'une exposition de la Wiener Werkstätte et l'an prochain à la Kunstschau. Me le prêteriez-vous le temps de ces expositions ?

– Mais vous venez à peine de me rendre ma femme que vous voulez me la voler à nouveau ! Prenez-la, elle est à vous, enfin je parle du portrait bien sûr !

Cette fois Adèle a du mal à réprimer son rire, emportée par celui des deux hommes.

Gustav Klimt précise à Ferdinand que cette exposition sera exceptionnelle par son ampleur et son contenu qui alliera la peinture, la sculpture et les arts décoratifs. Que seront présentés également Van Gogh, Matisse, Gauguin et aussi son jeune protégé Egon Schiele dont il n'arrête pas de chanter les louanges.

– Cette exposition est très ambitieuse, la grande salle dans laquelle j'exposerai sera dessinée par Koloman Moser. Adèle, vous y serez exposée près de mon *Baiser* et des *Trois Âges de la femme*. Mais aussi des *Serpents d'eau* et de *Danaé*. Voyez comme je compte vous mettre en valeur.

– Marché conclu ! Fêtons cela avec un verre de cognac !

Ferdinand sonne le majordome, qui aussitôt sort les verres à cognac en cristal, dessinés eux aussi par… Koloman Moser ainsi que la bouteille millésimée, vingt ans d'âge. Rien n'est trop beau pour célébrer la « dame en or ».

Gustav Klimt lève son verre :

– Ce verre est un présage. À la nostalgie, à la nostalgie de ce que nous n'avons pas encore vécu !

Son regard se porte à nouveau vers Adèle qui s'imagine parmi les autres tableaux du peintre. *Danaé*, cette femme nue à la longue chevelure rousse, les jambes repliées sur elle-même, la main gauche masquée par l'épaisse cuisse. Danaé se caresse... Et les *Serpents d'eau*... L'érotisme de la toile est tel que sa seule évocation manque de lui faire lâcher son verre.

Elle préfère le vider d'une traite, au moins cela justifiera-t-il ses rougeurs. Ferdinand n'a pas réalisé au milieu de quelles toiles sera exposée sa femme. Il sera toujours temps de lui expliquer...

Klimt prend congé et Adèle met dans ses adieux toute l'intensité de son soulagement. Vivre entre Gustav et Ferdinand est un supplice.

Le peintre parti, le couple Bloch retourne admirer le tableau. Adèle remarque ce qu'elle n'avait pas vu de prime abord : les motifs japonais, qui rappellent ceux de la robe d'Emilie Flöge sur l'un des portraits que lui a consacrés son amant. Cette pensée l'agace. Ferdinand de son côté s'attarde sur les lettres qui symbolisent les initiales de sa femme : A et B, apposés au niveau du coude droit du modèle. D'autres motifs rappellent encore ses initiales, ils sont en relief comme les courbes d'Adèle.

Ferdinand ne cesse de caresser la toile de son œil vif. Il veut s'en approprier chaque détail. Il est subjugué par la puissance de la lumière capturée puis libérée comme un oiseau sauvage. L'intensité du bleu cobalt qui vient trancher avec l'or et l'argent le fascine. Il aime le vert qui évoque les paysages de Klimt. À moins que ce ne soit celui des émeraudes qui scintillent, certains soirs, au cou d'Adèle. Il tente de décrypter la signification des arabesques, des volutes et enroulements. Il connaît une partie des sources d'inspiration successives du maître. Il voit dans ces triangles imbriqués les uns dans les autres le symbole des pyramides d'Égypte et le mystère qu'elles renferment. Il en oublie leur fonction de tombeau des rois et des reines. Ferdinand est fier de constater que son épouse a choisi de porter le collier qu'il lui a offert, comme les bracelets, des cadeaux encore. Comme ces reines d'Égypte, Adèle est parée d'or et de pierres.

Mais ce qui lui plaît plus que tout, c'est la pose majestueuse d'Adèle.

– Ces séances à l'atelier n'ont-elles pas été trop pénibles, ma chérie ?

– Non, elles m'ont distraite et Klimt n'a cessé de me parler des peintres avant-gardistes de Paris que nous devrions aller voir un jour. Ce Picasso qui vient de peindre *Les Demoiselles* ou encore un certain Kandinsky me semblent vraiment intéressants.

– Nous irons, mais profitons d'abord de l'immense talent de notre cher Klimt. Pourquoi ne pas lui commander un autre portrait dès maintenant ?

– Ferdinand, vous êtes incorrigible, nous venons tout juste de recevoir celui-ci !

– Mais nous avons patienté près de trois ans pour l'avoir. Croyez-moi, ils vaudront de l'or dans quelques années. Autant qu'il y en a sur cette toile !

– Gustav ne sera pas libre avant longtemps, il a une commande importante à Bruxelles au palais Stoclet, une gigantesque fresque.

Ferdinand s'apprête à regagner ses bureaux, embrasse une dernière fois Adèle. Elle le raccompagne jusqu'à la porte, comme il aime qu'elle le fasse, pour gagner quelques secondes supplémentaires passées ensemble. La porte se referme sur Adèle, sur son désœuvrement, son secret et sa solitude. Elle est tentée par l'idée de retrouver son lit et de s'abandonner à la rêverie. Les séances de pose avec Klimt, ce jeu dangereux avec le feu de la passion et de la faute, l'éloignaient de sa vie si peu palpitante, de son foyer sans joie ni tumulte. Elle n'a besoin de rien, elle possède tout de ce qui fait le bonheur d'une femme. Sauf un enfant. Et sauf ce qu'elle a entrevu avec Gustav, l'oubli de soi dans la passion.

Adèle se ravise et retourne à la bibliothèque. Elle veut pouvoir regarder tranquillement son portrait, se faire face à elle-même, voir clair en elle. Elle s'assoit, là où elle était installée précédemment avec Ferdinand, juste avant que ne soit dévoilé ce tableau hors du commun.

Elle se regarde mais se reconnaît à peine. Est-ce bien elle cette femme corsetée, incapable de sourire, si solennelle, les yeux pleins de gravité? À son tour de déceler le moindre détail. Elle fixe avec minutie ce visage, qui est le sien. Elle voit son regard presque suppliant. Que Klimt a-t-il voulu signifier? L'implore-t-elle pour qu'il ne l'approche plus ou est-ce l'inverse? Elle remarque aussi le rose assez marqué de ses joues, comme si elle avait abusé du maquillage. Mais non, il s'agit de la couleur qu'emprunte son visage lorsque l'artiste s'avance trop près d'elle et que ses tempes s'empourprent.

Oui, elle se sent recluse. De quelle liberté dispose-t-elle? Au moins les ouvrières des manufactures sortent de chez elles, ont la fierté de vivre par leur travail, sont utiles à leur famille. Adèle se souvient de la visite de la fabrique de sucre à Elbekosteletz, peu de temps après leur mariage. Ferdinand avait insisté pour qu'elle découvre ses activités d'industriel héritées de son père, qui était déjà l'un des plus grands sucriers de Prague. Adèle n'avait encore jamais vu un tel déploiement d'activité. Il y avait au moins sept cents ouvriers et ouvrières, tous occupés à une tâche bien précise. Les femmes, qui portaient toutes le même tablier, ne levaient quasiment pas les yeux sur son passage, absorbées par le triage ou l'empaquetage. Adèle avait rapidement ressenti des picotements dans les yeux dus à la poussière de sucre qui flottait dans l'air. Femmes et hommes avaient les yeux rougis, mais ne semblaient pas en souffrir. Ils avaient l'habitude sans doute. Mme Bloch, puisque c'est ainsi qu'elle s'appelait dorénavant, avait presque envié cette frénésie qui régnait d'un bout à l'autre de la fabrique. Qui d'entre eux aurait pu deviner qu'elle se serait bien vue, elle, la femme du patron, à la place d'une de ses petites mains…

Mais elle est là, seule, devant le portrait qu'a réalisé d'elle l'un des peintres les plus en vogue d'Europe. Un homme qui la rend si fragile…

Elle ne le reverra désormais que dans ses salons où il sera accompagné par l'une de ses conquêtes. Elle chasse cette vision cauchemardesque, sans doute vaut-il mieux ne jamais le revoir. Dix fois, elle a pris cet engagement auprès d'elle-même. Mais impossible d'imaginer sa vie sans lui, sans leurs échanges, sans son regard posé sur elle. Il occupe tant son esprit qu'elle en oublierait presque qu'elle doit aller voir sa nouvelle nièce. Thérèse vient de donner naissance à sa première fille, Luise.

13. À fleurets mouchetés

Ça n'est pas dans ses habitudes de faire démonstration de tant d'exaltation. Ferdinand a une grande nouvelle à annoncer à son Adèle. Il dit « mon Adèle » lorsqu'un événement se trame. Adèle en est convaincue, il a dû faire une bonne opération grâce à un nouvel investissement. Ces derniers temps, il ne songe qu'à croître, comme s'il n'en avait jamais suffisamment. Il est déjà si peu présent. Même ses séjours de chasse ont dû être écourtés.

Rien à faire, Ferdinand ne dira rien avant le dîner, il entretient le mystère. Adèle fait mine de s'en agacer, mais puisqu'il s'agit d'un événement autant être à la hauteur. Cela lui donnera l'occasion de porter sa nouvelle robe bleue, tout juste arrivée de Paris. Ferdinand en aura la primeur.

Une demi-heure plus tard, le couple se retrouve dans la bibliothèque. Comme chaque soir, Ferdinand admire la toile de Klimt. Il est tellement satisfait. Avec le temps, Adèle se demande ce qui lui plaît le plus, le portrait ou l'investissement réalisé… La cote de Klimt ne cesse de s'envoler et Ferdinand est viscéralement un homme d'affaires.

– Quelque chose d'important va se produire dans notre vie.

– Je suis impatiente de le savoir, Ferdinand.

– Dès que nous serons à table, je vous le dirai. Vous êtes très en beauté. Vous méritez ce que j'ai à vous annoncer.

Quelques minutes passent encore, Ferdinand se délecte de ce secret qu'il fait durer, puis lance d'un coup :

– Vous allez devenir châtelaine !

– Comment ?

– Demain, je finalise l'acquisition du château Jungfer-Brezan, il se situe à quinze kilomètres de Prague.

– Ferdinand, pourquoi ne m'avez-vous rien dit avant ?

– Les choses se sont dénouées très vite et je voulais vous en faire la surprise. Les précédents propriétaires, endettés jusqu'au cou, ont dû le céder à la banque de crédit de Prague qui m'a immédiatement mis sur l'affaire. C'est une véritable aubaine et c'est un rêve. Un château pour la famille Bloch !

Adèle ne s'est jamais imaginée habiter dans un château, qui plus est à Prague. Elle aime les lumières et l'agitation de

Vienne. Elle ne se lasse pas du Ring et de ses somptueuses constructions dédiées à la culture. Elle peut au moins y tromper son ennui. Il y a mille et une choses à faire dans cette ville. Mais la campagne, non! Durant les mois d'été, pourquoi pas, mais lorsque la grisaille, la brume et le froid avalent tout, c'est une autre histoire!

– Mais aurons-nous le loisir d'y séjourner? Vous êtes déjà si peu disponible.

– Nous nous y installerons l'été. Vous y inviterez qui vous voudrez, mon frère, Thérèse et les enfants, et vos amis.

Débordant d'enthousiasme, Ferdinand lui décrit l'ensemble. La partie inférieure date de 1840, de style Empire, et la partie supérieure est édifiée par la suite. Il se réjouit à l'idée de chasser dans le parc, sur des terres et des bois qui lui appartiendront, à lui, l'un des meilleurs chasseurs de Bohême. Il retrouverait ses racines, avec lesquelles il n'a en réalité jamais rompu. Ferdinand n'a jamais avoué à Adèle qu'il souffre de ne pas être considéré comme un aristocrate. Le pouvoir de l'argent ne fait pas tout. Il n'a pas accès au cercle fermé de la noblesse, ils n'ont jamais été invités aux bals de l'empereur, ni à l'une de ces parties de chasse réservées à l'aristocratie en belle tenue. Il sait qu'en tant que juif certains le tiennent à distance. Il n'appartient qu'à la «seconde société», et encore grâce à sa position sociale. L'empereur François-Joseph a beau être philosémite et anoblir certains membres de la communauté juive, quelques-uns de ses proches ont préféré se convertir au christianisme pour échapper à leur condition. Son ami Gustav Mahler a abandonné sa religion d'origine, il s'est fait baptiser dès 1897. Mais lui, Ferdinand Bloch, s'y refuse.

Il s'est marié à la synagogue centrale bien qu'il ne soit pas pratiquant, loin de là. Il ne respecte ni les rites ni les interdits alimentaires, mais il ne veut pas rompre avec sa propre culture ni offenser ses parents. Son père lui a légué ses activités industrielles, il aurait l'impression de le désavouer et de se renier lui-même. Mahler n'a pas la même histoire : il est fils d'aubergistes hongrois, s'il ne s'était pas converti il n'aurait jamais obtenu le poste de directeur de l'opéra de Vienne.

Ferdinand n'est pas un renégat, il possède désormais un château et des terres en plus de ses industries. Les aristocrates, eux, en dehors des biens immobiliers hérités de leur famille et sans cesse divisés, ne disposent plus de véritable fortune. Ferdinand est juif mais il n'a rien à voir avec ces réfugiés, il ne porte pas les oripeaux de ces immigrants mais des costumes faits sur mesure et dans les plus belles des matières, les tissus les plus précieux. Ses affaires ne font que prospérer. À lui seul, il couvre près d'un quart des besoins en sucre de l'Empire. Il n'a plus rien à envier à cette caste de l'aristocratie si méprisante. D'autant plus que la situation politique évolue. Dans certains journaux, on prédit la fin de la monarchie, l'aristocratie perd de son influence. Ils sont de moins en moins nombreux dans la haute fonction publique comme dans l'armée. La cour perd de son lustre. Les puissants d'aujourd'hui dirigent les banques et les grandes industries, comme lui. Ils n'ont pas encore accès à certaines carrières ni à la diplomatie, mais cela viendra. S'il avait eu un fils, peut-être…

Lorsqu'il passe sur le Ring, il ne manque jamais de se souvenir que tous ces palais néo-classiques ont été bâtis grâce aux barons juifs anoblis par François-Joseph. Son tour viendra sans doute. Ne lui manque qu'un héritier et son bonheur serait parfait.

Quelques semaines plus tard, Ferdinand entraîne Adèle à la découverte du château de Jungfer-Brezan. Le voyage a été long. Adèle est harassée par le transport et la chaleur. Heureusement, le temps des calèches et du train est terminé pour eux, ils ont depuis quelques mois une automobile, c'est autre chose. Franz a appris à la conduire et il a promis à madame de lui faire tenir le volant lorsqu'ils seront dans le parc. Toutes ces nouveautés la réjouissent. Ils ont même assisté à une démonstration d'aviation par Louis Blériot en personne, venu à Vienne quelque temps plus tôt. Et puis, Adèle est contaminée par la joie enfantine de Ferdinand qui rentre de plain-pied dans son propre rêve. Ils ont emmené avec eux six employés qui les aideront à s'installer et à tester le personnel sur place. À la demande d'Adèle, Ferdinand s'est engagé à conserver tous ceux que les précédents propriétaires n'ont pas pris avec eux. Il faudra du monde pour faire fonctionner cette si vaste demeure, y compris quand ils n'y seront pas.

La visite est vertigineuse. Adèle se perd dans les méandres de ces couloirs, elle erre d'une pièce à l'autre. Elle ne sait plus où se trouve l'office, il faut la guider à nouveau. Et voilà qu'elle cherche à retourner dans la bibliothèque, mais elle pense être dans la direction opposée. Elle aussi est comme une enfant, elle court, ralentit, fait de grandes enjambées pour compter ses pas. Elle doit choisir ses appartements. Elle hésite entre les deux ailes du château, va de l'une à l'autre en s'essoufflant. Elle dormira une nuit de chaque côté avant de faire son choix. Elle verra ainsi là où elle se sent le mieux. Mais ces meubles vieillots, non elle n'en veut pas. Comme à Vienne, elle souhaite tout changer, tout moderniser. Comme à Vienne, Ferdinand n'a aucune objection à ses demandes.
– Tout ce que vous voudrez, ma chérie.
Il y a bien longtemps qu'il n'a pas vu son Adèle aussi gaie. Il lui prend la taille et lui murmure :
– Je vous avais promis que je vous rendrais heureuse.

Mais dès la tombée de la nuit, alors que Ferdinand attend Adèle devant une grande flambée, allumée malgré la douceur, Hannah lui apprend que madame a dû se coucher, terrassée par ses maux de tête. Une partie de la fête est gâchée. Ferdinand s'inquiète de ces douleurs qu'Adèle compare à un nid de frelons qui tourneraient inlassablement dans son cerveau sans trouver l'issue. Un sifflement lui perce les tympans au point qu'Adèle s'enfonce du coton dans chaque oreille. Ferdinand enrage que sa femme refuse de se faire soigner par les meilleurs spécialistes alors que ses moyens le lui permettent. Il arrive désormais que les douleurs s'éternisent sur plusieurs jours et clouent Adèle au lit, incapable de lire ni même de marcher. L'équilibre lui fait défaut quand la douleur est au plus haut. Heureusement cette fois, le mal au petit matin s'en est allé.

Les jours suivants sont consacrés aux aménagements futurs. Le couple Bloch ne veut pas perdre de temps. Ferdinand, heureux de parler sa langue natale avec les artisans locaux, leur explique ce qu'ils souhaitent. Il veut réorganiser le rez-de-chaussée pour exposer ses porcelaines anciennes ainsi qu'une partie de ses œuvres d'art. Mais il ne décide rien sans avoir demandé son avis à Adèle. C'est pour lui un tel plaisir de la voir se démener pour installer leur nouveau paradis. Elle lui rappelle leur première année de mariage lorsqu'elle courait d'un marchand à l'autre pour meubler leur logement. Elle faisait déjà montre d'un goût assuré et n'hésitait jamais. Elle avait recommencé quatre ans plus tard, à l'ouverture de la Wiener Werkstätte. Elle passait ses journées dans cet atelier d'artisans d'art et d'artistes dédiés à l'Art nouveau. Elle commandait alors des meubles et de la vaisselle dessinés par les architectes en vogue et rentrait, heureuse de ses nouvelles acquisitions qui seraient livrées dans les meilleurs délais. C'était la seule sortie qui la distrayait de son malheur après la perte de Fritz. Mais cette fois, Ferdinand s'inquiète de la voir se déployer, virevolter ainsi d'une pièce à l'autre, il redoute de la voir souffrir, dévorée par ce mal qui semble atteindre son cerveau. Il a renoncé à lui faire la guerre quand il la voit sortir son long fume-cigarette. Cela fait dix ans qu'il tente de la raisonner, mais rien n'y fait. Comme si c'était là, pour elle, le signe ultime de son affranchissement. Il constate avec soulagement que la crise de la veille est passée, mais jusqu'à quand?

Adèle veut un salon de musique et un boudoir. Elle les aura, bien sûr. Elle veut profiter de ses longs séjours au château pour se remettre au piano plus sérieusement. Et ses neveux auront besoin eux aussi de répéter leurs leçons lorsqu'ils viendront. Mahler l'a convaincue des bienfaits de la musique; pour le compositeur, il ne fait aucun doute qu'elle guérit tous les maux. Pour s'installer, Adèle a choisi l'aile est, elle aime que les rayons du soleil lui caressent le visage au matin. Rien ne lui donne plus envie de débuter une journée que la promesse d'un ciel bleu. L'autre partie du château sera réservée aux invités. Dès l'été prochain, elle invitera Thérèse, les garçons et la petite Luise; elle a tellement hâte de faire découvrir aux siens ce lieu si dépaysant. Elle connaît les goûts de Thédy, ils ne sont pas aussi modernes que les siens, elle gardera les meubles XIXᵉ siècle pour sa sœur aînée. Elle proposera aussi à leurs amis de venir leur rendre visite.

Adèle évoque ses projets à Ferdinand. Il est d'accord sur tout. Il envisage déjà d'entraîner ses neveux à la chasse.

– Ce sera toujours mieux que le stand de tir du Prater, s'amuse-t-il.

Il se réjouit aussi de retrouver son frère Gustav pour leurs prochaines parties de campagne, comme lorsqu'ils n'étaient que des garçons sans épouse, toujours prêts à faire les quatre cents coups. Il veut un château plein de rires et de musique, d'amis et de talents.

– Et pourquoi ne pas inviter Klimt aussi, ma chérie? Il s'est remis à peindre des paysages, peut-être que ceux-là lui plairont.

Adèle acquiesce. Cela le changera du lac d'Attersee où il se rend désormais presque chaque été dans la famille d'Emilie Flöge. Et puis, leurs relations se sont apaisées. Depuis le portrait, ils se sont tenus éloignés l'un de l'autre, comme s'il ne fallait pas rallumer un feu dont les braises sont toujours vives.

– Supporterez-vous qu'il amène son harem?

– Je ne suis pas contre ! s'esclaffe Ferdinand.

– Ferdinand, soyez sérieux cinq minutes.

– Adèle, imaginez que notre propriété soit immortalisée sur l'une de ses toiles, cela me semble plus intéressant, n'est-ce pas ?

– Alors soit ! Et vous savez que je ne vous refuse jamais rien. Je ne veux rien d'autre que votre bonheur, mon adoré.

Adèle ne s'alarme pas. Depuis le portrait, l'un comme l'autre se sont replongés dans leur vie d'avant. Le tourbillon pour lui, l'ennui pour elle. La tension sensuelle entre elle et Gustav lui semble aussi loin que sa jeunesse.

Les journaux viennois leur parviennent seulement le lendemain de leur parution. Le temps ne s'écoule pas de la même manière. Adèle et Ferdinand commentent toujours les affaires politiques à fleurets mouchetés.

– Enfin ! Désormais tous les hommes de plus de vingt-quatre ans pourront voter au suffrage universel. Quel progrès !

– Le progrès, ce sera le jour où les femmes pourront voter elles aussi.

– Je crois que j'aurais dû me taire.

– Je préfère m'intéresser à l'intervention de Sigmund au Congrès international de psychanalyse de Salzbourg. Lui, au moins, pense que les femmes ont un cerveau.

14. Des cartes à poster

Les travaux d'aménagement du château ont pris trois mois de retard, ce qui n'a pas empêché le couple Bloch de s'y installer pour la durée de la période estivale. Adèle a organisé le séjour de sa famille; Thérèse, Gustav et les enfants les rejoindront durant la première moitié de l'été. Puis à la suite, Gustav Klimt qui a décidé de venir seul, sans Emilie Flöge retenue à Vienne par l'affluence de ces dames dans son salon de couture. Adèle n'a pas beaucoup insisté. Elle doit même se l'avouer, elle préfère que cela se passe de cette manière. Elle ne s'imagine pas passer des journées entières avec celle qu'elle avait, un temps, considérée comme une rivale. Le peintre viendra sans gouvernante, il y a suffisamment de personnel ici. Il séjournera deux semaines après son voyage à Attersee.

Les premiers temps de l'été, Adèle voit les jours s'écouler dans une belle allégresse avec sa sœur et les enfants. Les petits courent à longueur de temps dans les champs alentour. Ferdinand et Gustav les emmènent avec eux pour leur première séance de chasse. Karl se montre attentif et fort doué quand Ferdinand lui prête son fusil. Il tue son premier chevreuil. « La chance des débutants », déclare son père tandis que Robert, le petit frère, se met à pleurer en voyant l'animal à terre.

– Je ne voulus pas qu'il mourût, se lamente aussitôt l'enfant.

Ce qui déclenche l'hilarité générale et le redoublement des pleurs.

Les journées se suivent avec la même exaltation. Adèle, au milieu des siens, retrouve une joie de vivre qu'elle n'avait pas connue depuis longtemps. L'écrasante chaleur du début d'après-midi incite chacun à la sieste. Seuls les garçons se montrent récalcitrants mais Thérèse, leur mère, ne leur laisse pas le choix. Adèle et Ferdinand se retirent chaque jour dans leurs appartements aux volets clos pour conserver à l'intérieur un peu de cette fraîcheur si rare. Leur couple n'a jamais connu autant d'ardeur. La nouvelle demeure, la présence de leurs neveux, les projets, tout les incite à se redécouvrir mutuellement. Ils n'en parlent pas, mais c'est bien le désir d'enfant qui les lie intimement chaque après-midi. Adèle a parfois des images érotiques qui lui traversent l'esprit et alimentent son désir. Des images inspirées de l'œuvre de son prochain invité. Mais de cela, elle ne dit mot. Ferdinand se réjouit de retrouver pleinement sa femme après leurs années de chagrin. Si un enfant vient, ce sera une bénédiction, mais tenir sa femme dans ses bras suffit déjà à son bonheur.

Quelques jours avant son arrivée, le peintre a fait envoyer une malle avec ses effets et son matériel. Tout le personnel se place en haie d'honneur pour l'accueillir, comme pour les maîtres des lieux. Adèle et Ferdinand veulent montrer à leur ami qu'ils le traitent en hôte de marque. Hans, le premier valet, celui qui sera mis à la disposition du peintre, guette la voiture au bout du chemin. Gustav Klimt, hirsute, descend de voiture en s'épongeant le front avec son mouchoir. Il ne sait plus où il a posé son chapeau.
Ferdinand l'accueille avec le débordement d'effusions dont il est capable, tandis qu'Adèle se tient plus en retrait.
– Le voyage et cette chaleur ont dû être harassants, nous allons vous laisser vous reposer, intime Adèle qui abrite sa légère gêne sous son ombrelle. Nous vous retrouverons pour le dîner.

Plusieurs jours sont nécessaires à Adèle pour se sentir à son aise entre son mari et celui pour lequel elle était prête à s'abandonner. Mais pour elle, c'est le passé. Jamais elle ne l'aurait admis chez elle s'il y avait eu le moindre risque de glissement.

Le peintre, qui se passionne depuis quelque temps pour la flore, découvre dans une belle allégresse la campagne alentour avec le couple Bloch. Parfois, il se saisit d'un drôle d'instrument au travers duquel il observe de près une fleur. Il adore trouver de nouvelles espèces ; il cueille alors délicatement l'essence pour en chercher ensuite le nom. Il a souvent son carnet de dessin à la main : quelques traits crayonnés en un rien de temps pourront devenir un tableau. Klimt adore marcher des heures à travers champs, parfois il se met à courir ou esquisse quelques mouvements de gymnastique. «Je pourrais vivre en plein air», répète-t-il à l'envi. Ferdinand a échoué à emmener avec lui son ami à la chasse. Voir les bêtes à terre n'est décidément pas sa passion.

Le soir, on se retrouve à table devant une bouteille de vin de la région de Prague. Adèle a demandé qu'on installe le candélabre à six lumières. La conversation glisse sur la situation politique. Vienne vient d'interdire son centre aux colporteurs juifs. Adèle s'en offusque. Non pas parce qu'elle est juive elle-même, mais elle n'accepte pas que l'on crée une sous-catégorie de citoyens et c'est ce qui se trame selon elle. Pour cela, elle rejoint Schnitzler qui ne cesse de dénoncer ce climat nauséabond. Ferdinand est plus mesuré, il faut bien cantonner cette population dans les faubourgs ou bien les beaux quartiers de Vienne deviendront infréquentables à leur tour. Le peintre est assez peu porté sur la politique ; depuis sa rupture avec le pouvoir, il se tient éloigné des débats lorsqu'ils ne portent pas sur la culture. Adèle revient à la charge, la politique est devenue son centre d'intérêt. Ferdinand lève les yeux au ciel pour faire mine de s'en offusquer.

– Gustav, saviez-vous qu'Adèle a un nouvel ami ? Elle ne jure plus que par ce Julius Tandler, un médecin marxiste qui se soucie de la santé de nos pauvres ! Je préfère quand elle se passionne pour l'art. Aidez-moi à lui faire entendre raison.
Gustav Klimt regarde Adèle d'un air interrogateur :
– Qui est ce Julius Tandler, Adèle, vous ne m'en avez jamais parlé ?
– Il n'est pas marxiste, mais social-démocrate. Et pas médecin mais physicien, spécialiste de l'anatomie, un peu comme vous, Gustav ! C'est un ami de Sigmund Freud, il se préoccupe de la condition des plus démunis. Je partage ses opinions et je pense que nous ne pouvons plus laisser ces pauvres gens sans accès aux soins. Il a de grandes idées. Il voudrait créer une maison de santé pour les familles.
Ferdinand, qui n'aime pas que sa femme se pique de politique, entraîne la conversation sur la peinture. Klimt évoque la beauté d'Attersee qui l'inspire de plus en plus.

177

Adèle devine sa jalousie envers Julius. À lui d'attiser celle d'Adèle en évoquant son lieu de villégiature avec Emilie Flöge. Ferdinand brise innocemment le malaise. Il aimerait faire l'acquisition d'un tableau de nature. Mais il ne veut pas attendre deux années !

— Je vous proposerai des tableaux de paysage lorsque nous serons rentrés. Il m'en reste quelques-uns dans mon atelier. Mais je pense surtout à l'un qui pourrait vous plaire : le *Schloss Kammer am Attersee*. Il rappelle un peu votre château. Le tableau est de petite taille, mais c'est l'un de mes préférés ; la bâtisse se situe en arrière-plan, elle se reflète dans l'eau du lac.

Ferdinand se réjouit à l'idée de cette nouvelle acquisition. Deux jours avant le départ de Klimt, Ferdinand fait officiellement sa demande pour un autre portrait d'Adèle.

— Votre prix sera le mien.

— Ne commençons pas par nous embarrasser des questions d'argent, je m'y mettrai dès que votre épouse aura le temps.

Gustav Klimt sent qu'Adèle cherche à échapper aux occasions de se retrouver seul à seul avec lui. La maîtresse de maison reste silencieuse, elle maudit Ferdinand et redoute les prochaines séances de pose. Ici son mari la protège d'elle-même, de ses faiblesses.

Au moment du café, Gustav demande à Adèle si elle pourrait lui donner des cartes postales pour son courrier.

– Mais oui bien sûr, nous venons d'en faire réaliser du château.

Le lendemain Adèle, se surprenant elle-même, interroge Hans, le valet, sur un ton qu'elle veut le plus neutre possible :

– M. Klimt vous a-t-il donné des cartes à déposer en poste centrale ? À qui étaient-elles destinées ?

– À Mme Flöge, il me semble.

Adèle encaisse. Qu'il écrive à sa maîtresse lui est insupportable.

Ces cartes postales brisent la digue du désir en elle, trop longtemps contenue. Elle se retrouve des années plus tôt, perdue dans sa calèche, les cheveux en désordre. Elle aimerait se maîtriser, n'y parvient pas. Il ne lui reste qu'à fuir Gustav avant son départ, mais comment faire ? Il est son hôte.

En sa présence, l'air se fait pesant et moite, les mots se perdent, les regards se fuient. Les grandes promenades du matin à travers champs ont perdu de leur légèreté. Heureusement, Ferdinand reste en verve et alimente la conversation pour deux.

La situation lui échappe, il relance le peintre sur l'idée d'un second portrait. Il sait pourtant qu'en dehors d'Emilie Flöge Klimt n'a jamais peint deux fois le même modèle.

Klimt consent à évoquer la façon dont il imagine son prochain portrait, très différent du premier. C'en est terminé de la période dorée. Il est désormais plus influencé par ces peintres parisiens qui utilisent davantage de couleurs et qui rappellent le pointillisme.

Le départ de Klimt approche et avec lui l'heure des adieux. Ses malles sont déjà faites.

Comme pour son arrivée, le personnel est parfaitement aligné devant la porte. Le peintre prend soin de remercier ses hôtes comme il se doit. Il salue chaleureusement Ferdinand, baise la main d'Adèle qui en frémit d'émotion. La voiture disparaît dans le virage et aussitôt un vide terrible s'installe en Adèle, tandis que Ferdinand redouble de bavardage.

— Je n'ai pas vu ces deux semaines passer, il est grand temps que je me remette au travail. Et vous ma chérie, qu'allez-vous faire maintenant que notre ami est reparti ?

— Je vais me reposer, lire, réfléchir à la façon dont nous allons organiser notre jardin. Et profiter de ces dernières journées d'été : dans huit jours, nous serons à Vienne.

Au moment où Adèle se retire dans sa chambre, le soleil se met à louvoyer avec les nuages. Elle a besoin d'être seule. Le seul jardin qui lui importe est son jardin intérieur. Klimt y a mis à nouveau du désordre. Tout y est sens dessus dessous, comme sur une terre en jachère. Mais elle n'est plus une enfant. Elle a passé tellement de temps à lutter contre la vacuité de son existence, des jours entiers à lire et à réfléchir, à repousser ses barreaux d'acier. Adèle sait qu'elle a le choix : laisser fleurir cet amour ou en arracher les racines ancrées plus profondément qu'elle ne le pense.

15. Cet après-midi-là

Fatalement, il fallait que ça se passe ainsi. C'est encore Ferdinand qui pousse Adèle à retrouver Klimt afin qu'il commence enfin le second portrait. Ils se revoient d'abord tous les trois dans le salon du pavillon du peintre à la fin du mois de septembre. Adèle est assise droite sur sa chaise à côté de son mari, Klimt leur fait face. Maître de lui, maître du temps, maître de la situation, il sait que le compte à rebours est lancé.

Ferdinand et Gustav règlent l'achat du tableau de paysage *Schloss Kammer am Attersee* comme ils l'avaient évoqué durant le séjour en Bohême. Puis vient le sujet du portrait d'Adèle. Gustav Klimt voudrait débuter rapidement, au moins les études. Il a déjà quelques idées, mais il a besoin de les coucher sur le papier. La présence d'Adèle lui est indispensable. Ferdinand ne laisse pas sa femme tergiverser, la date de la prochaine séance est fixée sans qu'elle ait son mot à dire. Ferdinand est ravi. Puisqu'il sera à ce moment-là en voyage, ces séances divertiront son épouse.

Le 16 octobre. Adèle ne risquait pas d'oublier la date, mais elle l'a tout de même inscrite sur son petit carnet relié en cuir rouge qui lui sert de pense-bête.

Le jour est arrivé, ce genre de jour arrive toujours. Elle a rendez-vous à quatorze heures, Klimt a insisté pour qu'elle vienne tôt dans l'après-midi pour bénéficier de la clarté du jour. Est-elle angoissée, tourmentée? Oui, évidemment. Mais le mot juste serait peut-être vaincue. Elle n'a pas réfléchi à sa toilette, cela lui est égal.

En chemin, toutes les émotions vécues lors de ses premières rencontres avec le peintre l'assaillent puissamment. Rien ne s'est effacé. En traversant la Mikaelplatz, devant la Hofburg, elle observe par la fenêtre cet étrange immeuble, tout juste terminé, avec ses colonnes de marbre vert et ses fenêtres sans corniches qui déplaît tant aux Viennois. Mais il lui plaît à elle, cet immeuble si moderne d'Adolf Loos.

Lorsqu'elle pénètre dans l'atelier, elle retrouve cette odeur de peinture, presque enivrante, qu'elle connaît parfaitement. Gustav Klimt l'attend, il a une surprise pour elle. Le peintre veut lui faire découvrir l'une de ses dernières toiles. Elle fait face au mur, il la retourne.

– Je l'ai appelé *La Famille de migrants.* C'est vous, Adèle, qui me l'avez inspirée lorsque vous m'avez parlé de vos visites.

– Gustav, elle est bouleversante, et moi qui pensais que vous ne m'écoutiez pas !

La toile est très sombre, composée de gris et de bruns. Elle représente une femme endormie sous des couvertures, ses deux jeunes enfants allongés contre elle de chaque côté, gagnés par le sommeil eux aussi. Comme s'il n'y avait rien d'autre à espérer que la nuit ou la mort.

Mais Klimt ne laisse pas le temps à Adèle de s'apitoyer ou de s'extasier, il veut décider avec elle de la pose qu'elle prendra sur ce nouveau portrait. Il lui explique ce qu'il a en tête, il veut la montrer debout dans une mosaïque de couleurs qui rappelleraient celles de Jungfer-Brezan. Il souhaite du vert comme les champs de la plaine bohèmienne, du bleu comme le ciel azuré de Brezan, du rose de la même teinte que les rosiers florifères de l'allée du château et du rouge comme les coquelicots, ces fleurs qui préfèrent mourir plutôt qu'être cueillies.

– Vous serez très sérieuse sur ce tableau qui sera très grand, dans un format vertical.

Il va au fond de son atelier et lui présente une toile vierge, immense. Elle fait près de deux mètres sur un mètre vingt.

– Mais pourquoi si grand ? s'exclame Adèle

– Je pourrais vous répondre une banalité : parce que vous êtes une grande dame ! Après le précédent, nous ne devons pas décevoir. Ce sera très différent. Tout est à inventer, écrire. Mais pour le moment, je voudrais vous voir sans chapeau, sans épingles dans vos cheveux, lâchez-les. Adèle s'exécute. Elle ôte le grand chapeau à larges rebords qu'elle avait conservé depuis son arrivée. Puis lentement, elle retire ses épingles, une à une, tournant le dos au peintre. Elle sait qu'il la regarde, mais ses yeux se posent-ils sur ses mains occupées à défaire sa coiffure ou sur une autre partie de son corps ? Elle l'entend s'approcher, il l'aide à rendre sa liberté à cette chevelure épaisse et noire. Une première mèche s'échappe sur son épaule droite, puis c'est tout l'édifice qui s'effondre jusqu'au bas du dos d'Adèle.

Gustav Klimt s'empare de la masse de cheveux qu'il soulève et ramasse sur un seul côté. Et très délicatement dépose de petits baisers sur la nuque d'Adèle. Elle ne dit rien, il perçoit ses frémissements qui l'encouragent à poursuivre. Le souffle chaud du peintre parcourt tout son corps. Sa bouche se promène autour de son cou, tandis que, subtilement, il commence à dégrafer sa robe. Comme cinq ans plus tôt, Adèle aimerait se ressaisir mais son corps ne répond plus.

Il est trop tard. Klimt l'entraîne avec douceur sur son divan, là où elle s'était juré de ne jamais aller.

Rien d'autre n'existe que cette passion, que son corps contre celui de cet homme. Elle n'aurait jamais imaginé qu'autant de désir pouvait la submerger. Elle a soif de lui. Gustav est vorace, envahissant, aucune parcelle de peau n'échappe à cette formidable envie de caresses. Elle ne savait pas. Non, elle n'imaginait pas que la chair puisse procurer tant de plaisir, alors elle s'abandonne. Plus rien n'existe, ni convenance, ni passé, ni attaches. Juste deux corps dans l'oubli de soi. Elle n'avait jamais été traversée de tels spasmes. C'est donc cela qu'on appelle «la petite mort».

Adèle a vingt-neuf ans.

À son retour, Ferdinand est heureux de voir son Adèle apaisée, il émane d'elle une sérénité qu'il ne lui connaissait pas. Il la trouve presque éthérée. Il est convaincu que l'acquisition de Jungfer-Brezan est le meilleur présage qui leur soit apparu depuis longtemps. Ils avaient besoin de projets d'avenir pour éloigner les drames du passé. Ils n'en parlent plus et c'est mieux ainsi. Adèle lui a fait une surprise, elle a acheté un gramophone et lui a fait écouter un opéra de Gluck. Il suffit de tourner une manivelle, de poser un disque de zinc et la musique s'échappe par une sorte de grande oreille.

Ferdinand en avait déjà vu bien sûr mais enfin, tous jouent de la musique dans la famille, cet engin ne lui paraissait pas indispensable. Et Mozart, le plus illustre des Viennois, se retournerait dans sa tombe! Puisque Adèle en a envie et que cela semble la ravir, c'est une bonne chose.

Les mois suivants entraînent Adèle sur une voie quasi céleste. L'inconsolée s'est enfin délestée du fardeau du malheur. Une fois par semaine, elle se rend dans l'atelier du peintre avec la même exaltation. Parfois, elle invente d'autres occupations pour masquer un trop grand nombre de visites. Gustav Klimt est le premier surpris, il était convaincu qu'Adèle ferait marche arrière après avoir succombé, mais non, elle est là, bien là, offerte et généreuse, résolue dans son plaisir comme elle l'avait été dans l'attente. Cette aventure insuffle en elle une force nouvelle, libère un torrent d'émotions et de sensations langoureuses. Gustav est une évidence qui irradie son corps comme son âme. Chaque baiser la comble, chaque discussion la nourrit. Aucune inquiétude ni culpabilité ne vient abîmer leur relation. Insatiable, Adèle est assaillie par une envie imprécise et arrogante. L'envie de léviter. Monter, s'envoler, ne plus toucher terre même si cela ne devait durer qu'un jour, qu'un instant.

À chaque fois, Adèle retrouve le peintre dans son atelier. Hermine, la gouvernante, l'accueille avec la distance habituelle, la conduit auprès du maître qui souvent vient à sa rencontre. Puis il demande qu'on ne le dérange pas pendant qu'il travaille.

Chacune de leurs retrouvailles est un crescendo, Adèle n'a plus la maîtrise de ses sentiments. Gustav Klimt ne cesse de lui répéter qu'il est fou d'elle, qu'elle est la plus belle femme qu'il ait connue. Elle ne le croit pas, elle rit, elle l'embrasse, elle murmure, elle est heureuse.

Ils passent des heures dans les bras l'un de l'autre, à faire l'amour. Il possède cette vitalité animale à laquelle il est si difficile de résister.

Et lorsque la fatigue les gagne, Klimt caresse douce-ment les courbes d'Adèle comme s'il avait un pinceau à la main. Il aime se blottir nu contre elle, derrière elle, calé contre elle. Elle sent alors son ventre remplir le creux de ses reins, son sexe reposé contre sa peau attentive. Vivre est décidément plus fascinant, plus trépidant que tous ses songes. Le rêve a imposé sa réalité.

Il y a cette commande de portrait qu'il faut bien honorer. Avant même que l'histoire ne bascule, le peintre avait en tête une Adèle sage presque distante et froide.

– La réalité est que j'aimerais vous peindre étendue, de dos, et nue. Vos longs cheveux ramenés sur votre poitrine, et votre beau visage tourné vers moi.

Adèle rit encore, elle lui a interdit de la dessiner nue. Même en secret.

— Ne me confondez pas avec vos modèles ou je fuirais et vous ne me reverrez plus. Gardez-moi dans cette tenue pour vous seul.

— Vous êtes unique, Adèle, comment serait-il possible de vous associer à ces femmes?

Adèle n'est pas jalouse. Elle ne l'est plus, elle admire tant cet homme qu'elle comprend qu'il ait pu céder au plaisir. C'est la source même de son art.

À plusieurs reprises, Gustav lui demande de le tutoyer. Adèle n'y parvient pas, elle ne tutoie personne hormis ses frères et sœurs. Un jour cependant, elle se lève du divan, s'enveloppe de la blouse du peintre qui traîne à même le sol, bien qu'elle marche sur la pointe des pieds, tant Gustav la domine en taille. Elle saisit une feuille à dessin, un crayon et remplit le papier de «tu, tu, tu, tu, tu...» en s'appliquant consciencieusement. Espiègle et taquine, elle lui tend le résultat de son travail:

— Voilà, j'aurai vraiment tenté!

Le vouvoiement reste leur mode d'échange, bien qu'un «tu es belle» échappe fréquemment au vieil ours, ou un «tu» suivi de quelques mots à résonance plus érotique dans lesquels il met une fougue prodigieuse.

Leurs rendez-vous alternent entre ébats amoureux et avancement du tableau. Adèle n'a jamais été aussi heureuse depuis le temps où elle portait un enfant. Les grandes conversations qu'ils ont ensemble la transportent autant que le plaisir. Adèle a le sentiment que, malgré leur différence d'âge et son inexpérience, il la place sur un pied d'égalité, ne la traite ni en enfant gâtée ni en ingénue. Elle lui demande de lui raconter pour la centième fois sa vision de l'art. Il aime lui expliquer que pour lui l'art et l'étreinte amoureuse ne font qu'un. Tout lui semble d'une beauté inouïe dans la fusion des corps, tel un labyrinthe amoureux. Parfois, il lui montre quelques-uns de ses dessins pour décrire ce qui ne s'explique pas. Des corps entremêlés ou dénoués dans des poses extatiques et lascives d'êtres en suspens, repus après l'acte sexuel. Adèle n'est déjà plus la même. Le peintre n'a pas réussi encore à convaincre Adèle de se promener nue devant lui. Au lit, rien ne lui semble déplacé mais en dehors, elle se drape dans sa timidité. Elle a appris à ne plus fermer les yeux lorsque Klimt pose ses mains sur elle, quelle que soit la partie de son corps qu'il caresse. Elle peut aussi laisser aller son regard sur son corps à lui, y compris sur son sexe. Rien ne lui semble disgracieux ou repoussant chez cet homme, malgré son allure si peu athlétique. Il lui enseigne, peu à peu, à lever les interdits. Elle dit «pudeur», il répond «pudibonderie». En homme averti, il a adroitement guidé sa main fine sur lui, puis sur elle-même. Elle s'était ignorée jusque-là, jamais elle n'avait osé explorer elle-même les sources de son plaisir. Les interdits toujours, l'ignorance aussi. Il est celui qui l'a initiée aux mystères de la chair, à ses miracles et aux dons qu'il engendre. Pour Adèle, plus rien n'existe au-dehors. Sa vie se résume aux séances dans l'atelier et à l'attente qui les sépare. Le temps est suspendu, une saison dans la vie d'une femme. Sa tristesse, sa mélancolie s'est effilochée, la laissant ajourée, constellée de ces petits riens qui font le bonheur. Le bonheur? Peut-être pas, peut-être juste des éclats, des pétales, des iris de cette insouciance si rare, si chère qu'on peut appeler joie.

Ferdinand la questionne sur l'état d'avancement du portrait. Bien sûr, il la trouve étrange parfois, mais Adèle n'est-elle pas une personnalité hors norme que la vie a malmenée? Elle aurait pu être sa fille et leur relation en porte la marque à certains moments.

Pour ce second portrait, l'amant ne veut rien laisser transparaître de leur passion. Il montre à Adèle, esquisse à la main, la façon dont il souhaite la figurer. Il lui a demandé de revenir avec son grand chapeau et cette robe aux teintes vert d'eau qu'il adaptera à sa façon. Il ne veut pas la représenter souriante ni glisser cette étincelle qu'elle renferme depuis quelque temps au fond des yeux. Cette magie qui émane d'elle désormais, il veut la conserver pour lui seul. Il a découvert une Adèle que nul n'imaginait; il se doutait que brûlait chez cette jeune femme une flamme incandescente et maintenant inextinguible. Tout lui plaît chez elle.

La dernière fois qu'elle était allongée et déshabillée près de lui, il a saisi l'un de ses pinceaux qu'il a passé sur son corps, en insistant sur les zones les plus émotives. Dix fois, vingt fois, il a d'abord effleuré puis caressé le bout de ses seins avec les poils de martre rouge de ce pinceau neuf. Il ne la touchait pas, il l'accompagnait du regard dans l'ondoiement de son bassin que le désir encourageait à plus de va-et-vient encore. Il voyait ses mains bouger à la recherche de peau, de sexe, de plaisir. Il a attendu qu'elle le supplie de lui faire l'amour sans délai, aussi fort qu'il le pourrait. Mais quel pouvoir cet homme a-t-il donc sur elle ?

Cette année-là, l'hiver se déchaîne et une tempête de neige l'empêche de rejoindre celui qu'elle aime. Franz a mesuré l'épaisse couche de cristaux blancs scintillants, elle atteint le demi-mètre. Et plus encore en certains endroits. La ville est engloutie. On n'y voit rien, même si les réverbères à gaz sont allumés en pleine journée. Ferdinand est lui aussi coincé, son voyage en Bohême a dû être reporté, la plupart des connexions dans l'Empire sont paralysées. Il passe davantage de temps à Schwindgasse devant la chaleur de la cheminée ; un livre à la main, son cigare dans l'autre, il a décidé de prendre son mal en patience. Les affaires attendront un peu. Il profitera de ce temps pour régler quelques points avec son frère et s'occuper d'Adèle. Souvent il se fait reproche de la délaisser. Il lui proposera, ce soir, d'organiser une réception pour le mois prochain ou le suivant, il y a fort longtemps que le Tout-Vienne n'est pas venu fouler le sol de leur maison.

– Une soirée mondaine, oui pourquoi pas, cela sera divertissant, a aussitôt approuvé Adèle.

Elle a proposé la date du 21 mars, ce serait ainsi une façon de célébrer le printemps. À Vienne, la sortie de l'hiver interminable est toujours une fête. Ferdinand lui a suggéré de commencer à dresser la liste des invités. Adèle n'a pas cillé lorsqu'il a évoqué le nom de Klimt. Alors qu'elle a appris à libérer toutes ses émotions dans les bras du peintre, elle les contrôle davantage aux côtés de son mari.

Jusque-là, Adèle n'a pas encore osé avouer à Gustav ce qu'elle a ressenti lorsqu'elle l'a vu avec la femme de l'atelier. Elle ne saurait dire si, avec le temps, elle reste jalouse de cet épisode si particulier. Elle n'a pas non plus raconté ce rêve qui l'avait agitée une nuit, lorsqu'elle s'est imaginée avec les créatures blondes aux formes déliées de ses peintures. Ils ne doivent pas faire l'amour cet après-midi-là, ils se sont promis d'être sages et de travailler au portrait. Klimt n'a esquissé que le tracé de sa silhouette et du visage. Adèle porte la tenue attendue, le large chapeau noir, pas de bijoux hormis de discrètes boucles d'oreilles. Il n'aura suffi que d'un simple regard pour que l'un comme l'autre comprennent qu'ils ne renonceraient pas à s'étreindre.

Une fois satisfaite, Adèle se laisse aller à la confidence. Elle raconte à Gustav, par le menu, ce qu'elle avait d'abord entr'aperçu par la fenêtre de l'atelier, puis vu et enfin regardé. Encouragée par son amant à poursuivre ses aveux, elle décrit ensuite cet étrange rêve qui l'a tant troublée et son désir, né d'images de femmes entre elles, de leurs enlacements. Gustav lui demande s'il s'agit là d'un fantasme. Cette suggestion du plaisir féminin n'est pas pour lui déplaire, nombre de ses dessins, certaines de ses peintures sont une ode au saphisme. Gustav Klimt lui souffle qu'il est prêt à satisfaire tous ses désirs, jusqu'aux plus secrets, aux plus inavouables. Il peut lui présenter l'une de ses amies, ils seraient trois à partager les plaisirs charnels.

Adèle le regarde interloquée, elle se demande tout d'abord s'il plaisante. Elle comprend rapidement qu'il est tout ce qu'il y a de plus sérieux. D'un bond elle se lève, saisit ses vêtements pour se rhabiller.

– Comment osez-vous m'entraîner dans votre perversité ! Vous ne m'aimez donc pas, vous n'avez que des pulsions. Allez retrouver cette amie, et toutes celles que vous voudrez et faites-leur ce qui vous chante. Et oubliez-moi. Mais quel genre d'homme êtes-vous donc ?

Gustav Klimt tente de la retenir, murmure qu'il s'est mépris, mais l'indignation d'Adèle est plus forte encore que les mots qu'elle prononce. Elle se dégage de son emprise dans un geste excédé, prend ses deniers effets et claque la porte.

À son tour, il se rhabille, ramasse son matériel et se met à travailler sur le portrait. Inspiré par la colère de son modèle, il trace de grands coups de pinceau. Le trait est précis et nerveux.

Pendant plusieurs jours, Adèle fait silence.

Elle ne répond pas au premier billet qu'il lui adresse : «Adèle, revenez, j'ai besoin de vous. J'aime votre corps, mais c'est votre esprit qui est rare.»

Elle froisse nerveusement le petit papier blanc, prête à le jeter, avant de se raviser. Elle le repasse à l'aide de sa main et le range dans son tiroir à secret. Puis elle consacre deux heures à fumer sans la moindre pause, ou à peine quelques secondes, le temps de rallumer la cigarette suivante.

La date de sa réception approche. Les commandes pour le buffet ont toutes été passées. Finalement, Adèle se décide à revoir Gustav Klimt la veille du printemps, date à laquelle il viendra chez elle, au milieu des autres invités.

Elle ne veut pas prendre le risque d'être rattrapée par son trouble, comme cela lui est arrivé par le passé, alors qu'elle devra gérer ses invités. Klimt a continué à lui adresser des messages qu'elle a laissés sans réponse. Jusqu'à ce cadeau qu'il lui a fait parvenir et qui l'a infiniment touchée. Emballée dans du papier journal, se trouvait une broche en argent et lapis-lazuli, sertie de corail et de nacre, en provenance de la Wiener Werkstätte. Elle qui ne porte que des pierres précieuses a adoré le geste autant que le bijou. Pour la première fois, Gustav lui faisait un cadeau. Il a dessiné ce bijou uniquement pour elle. Devant le miroir, Adèle a accroché la broche sur sa poitrine, du côté de son cœur. Malgré sa colère, il lui manque terriblement. Dès que sa proposition indécente lui revient en mémoire, elle se rétracte, le déteste à nouveau. Son cœur est soumis à un mouvement de balancier incessant, ses intentions varient d'un moment à l'autre

Le lendemain matin, elle téléphone chez le peintre. C'est sa gouvernante qui lui répond. Monsieur est parti, comme bien souvent le matin, faire sa marche jusqu'au jardin botanique, là où il aime s'arrêter quelques instants.

– Prévenez-le que je passerai le voir avant midi.

Lorsque Adèle arrive une quinzaine de minutes avant le douzième coup de l'horloge, le maître l'attend. Contrairement à ses habitudes, il ne porte pas sa longue blouse mais un costume qui lui donne une allure majestueuse. Quelques mots, presque banals, et ils se jettent dans les bras l'un de l'autre. L'attraction a vaincu toutes les résistances.

16. Le temps fait son office

A dèle n'a pas eu le temps de prendre connaissance de son courrier. Le mois de février est déjà parvenu à son mitan. Après la période de grand froid, Vienne connaît une douceur inhabituelle en cette saison. Il n'y a plus de neige qui encombre les rues et Adèle peut sortir sans être totalement emmitouflée. Les pieds ne sont pas gelés, comme souvent en rentrant. Il n'y a guère que les arbres dénudés pour rappeler que le printemps est encore loin. Adèle veut profiter de ces doux rayons de soleil qui viennent délicatement réchauffer les âmes endolories. Voilà déjà un an et demi que Klimt a transformé sa vie. Elle se sent forte comme jamais.

Elle veut aller voir ses morts, comme elle dit. La liste s'est encore allongée l'année précédente. Le 31 mars, son troisième frère, David, s'est éteint à son tour dans d'horribles souffrances. Malade depuis huit mois, rien n'avait pu le guérir, pas même le soulager. Adèle avait pris cette nouvelle avec fatalité. Elle avait espacé ses visites auprès de son frère au cours des dernières semaines.

Le spectacle de sa mère Jeanette au chevet de l'un de ses enfants l'avait bouleversée. Quelles souffrances doit donc endurer une mère qui donne la vie et condamne à la mort ? Adèle ne le sait que trop, elle doit se préserver, ne pas risquer d'ouvrir ses plaies. Sa douleur n'était jamais loin, à fleur d'âme. À chaque anniversaire de la naissance de Fritz, elle songeait qu'il aurait trois ans, puis quatre et ainsi de suite jusqu'à ce 3 octobre de 1911 où elle l'avait imaginé à l'âge de raison. Il aurait sept ans. Elle lui aurait conseillé des lectures, il aurait découvert avec elle *Croc-Blanc* qu'un Américain dénommé Jack London avait écrit il y a quelques années. Avec ce livre, tous les petits garçons du monde se muaient en aventuriers.

Adèle a mis en place une sorte de rituel ; à chaque anniversaire, elle ne va pas sur la tombe mais sort les vêtements de nouveau-né, les caresse puis les range soigneusement dans sa commode. Elle pleure, mais ces larmes la libèrent. Elles lui disent que Fritz est en elle.

La clémence de ce 18 février l'incite à se rendre au cimetière central. Ce n'est plus si loin depuis que l'automobile a remplacé leur fiacre. Thédy viendra avec elle. Il aura suffi d'un appel téléphonique de quelques secondes pour obtenir son accord. Thédy ne fait jamais défaut à sa jeune sœur, bien sûr elle serait là. Adèle retrouve sa complice avec effusion ; elle commence par lui demander des nouvelles de ses trois neveux Karl, Robert et Léopold, et de la petite Luise, un vrai garçon manqué. À dix ans, Karl est presque un petit monsieur, il est le préféré d'Adèle.

Les deux sœurs ne perdent pas de temps, elles s'engouffrent dans la voiture. Elles n'ont pas l'air de se rendre au cimetière, l'une comme l'autre partagent la joie d'une partie de campagne. Adèle lui raconte les récents aménagements au château, Thérèse lui décrit sa dernière acquisition, une nouvelle montre de gousset dont elle raffole. Elle n'en a jamais assez, sa collection est sans doute l'une des plus belles de Vienne. La voiture entre dans l'allée principale et prend la direction de la section juive. Mais Adèle propose à sa sœur de poursuivre le chemin à pied. Elles avancent d'un bon pas, bras dessus bras dessous. Elles n'ont pas eu besoin de se parler pour déterminer le parcours, elles passeront d'abord sur la tombe du petit Fritz, puis se rendront au mausolée des Bauer. Thérèse devine quand elle doit s'écarter un peu, pour laisser Adèle se recueillir seule. À chaque fois s'ensuit ce silence si lourd, si difficile à briser. Elles reprennent le mouvement pour se diriger vers la dernière demeure des Bauer. L'édifice est l'un des plus impressionnants de l'allée, il est à travée unique avec une baie de plein cintre, flanquée de quatre pilastres engagés, le tout surmonté d'un fronton classique orné d'acrotères. Quelques herbes folles se sont frayé une place le long des bas-côtés. Adèle se baisse et, sans ôter ses gants, commence à en arracher à pleine main.

– Mais Adèle, que fais-tu, voyons ? Sois raisonnable, ce n'est pas à toi de faire cela, nous enverrons Max, il s'en occupera.

Adèle lâche les quelques tiges attrapées à la hâte, se frotte les mains et regarde à nouveau en direction du mausolée. Quatre plaques se succèdent.

Ils sont déjà trois hommes de la famille réunis là ; Moritz, le père, et deux de ses fils, ainsi que son aînée, Mira. Ce n'est plus à elle-même et à sa propre peine qu'Adèle songe mais à celle de sa mère qui a dû enterrer trois de ses enfants ainsi que son mari. «Comment fait-elle pour survivre ?»

Les deux femmes se tiennent par la main. Thérèse serre encore plus fortement celle d'Adèle lorsqu'elle remarque :

– Il ne nous reste que deux frères. S'il arrivait malheur à Raphaël et Eugen, les Bauer disparaîtront.

– Je n'y avais pas songé. Mais cela n'arrivera pas. Nous ne pouvons pas être tous décimés !

– Raphaël n'est plus vraiment des nôtres depuis qu'il s'est exilé à New York, mais tout de même. Qu'aurions-nous fait pour mériter autant de drames ? Certains, comme ce Karl

Kraus, seraient trop heureux de nous voir disparaître, je ne lui pardonnerai jamais d'avoir autant attaqué notre père de cette façon. Quelle violence! C'est lui qui l'a tué! C'est trop facile d'utiliser les journaux pour sa vengeance personnelle. Comment a-t-il pu l'accuser d'être corrompu? Comme si être banquier était synonyme de corruption, il n'est rien ce Kraus, juste un gratte-papier.

– Les Bauer ne s'éteindront pas, je t'en fais le serment. S'il ne restait que nous les femmes, nous reprendrions le nom, nous l'accolerions à celui de Bloch. Nous deviendrions les Bloch-Bauer!

Thérèse s'enflamme, Adèle l'a rarement vue dans cet état d'exaltation, elle est toujours si calme. Quelque chose de profond est touché en elle, comme si un mauvais présage venait de s'imposer.

– Bloch-Bauer? Crois-tu que c'est possible?

– Nous le ferons. Je demanderai ce soir à Gustav ce qu'il en pense. Rentrons maintenant, nous allons prendre froid.

Adèle n'a pas envie de retourner si tôt chez elle. Elle y serait seule, comme toujours. Elle ne verra pas Klimt avant le début de la semaine suivante, elle compte les jours.

– Et si nous nous arrêtions déjeuner dans une auberge sur la route?

Thérèse avait prévu de retrouver ses enfants, mais a-t-elle déjà dit non à Adèle?

Le déjeuner au Ruisseau est gai et volubile, même si la cuisine y est grossière et l'endroit démodé. Adèle choisit des paupiettes de soles et Thérèse opte pour une poularde. Aussi enthousiasmées l'une que l'autre à l'idée de porter ce nom composé, elles ne cessent de le répéter en détachant bien les syllabes. Elles se font quelques confidences sur leurs maris, étouffent des rires. Et repartent en récriminations sur Karl Kraus. Adèle est tentée de se confier à sa sœur, de lui avouer sa liaison avec Klimt. Le verre de vin qu'elle vient de boire libère sa parole. Elle s'apprête à révéler son secret. Puis se ravise. Thérèse, épouse et mère parfaite, ne pourrait pas comprendre…

Elles ont beaucoup retardé le moment de rentrer, mais la nuit ne va plus tarder à absorber Vienne et ses environs.

La fraîcheur a fini par tomber elle aussi et Adèle n'est pas mécontente de rentrer au chaud après cette journée passée à l'extérieur et peuplée d'émotions.

Hannah l'attend à la porte, elle sait reconnaître le bruit de cette automobile entre dix. Ce n'est pas difficile, il n'y en a pas encore beaucoup à Vienne. Elle n'ose pas demander si madame a passé une bonne journée, ce serait inconvenant. Elle la débarrasse de son manteau, lui tend le courrier et la presse du jour. Adèle veut d'abord se déchausser pour s'allonger. Elle prend les quelques lettres, l'une d'entre elles l'intrigue par son écriture rapide et verticale, une écriture qu'elle ne connaît pas. Il ne lui faut pas longtemps pour décacheter l'enveloppe, le trait est le même sur la feuille qui se trouve à l'intérieur. La lettre débute ainsi :

> *Madame. Tout Vienne sait que vous vous rendez très souvent dans l'atelier de Gustav Klimt. Vous êtes une femme droite avec des valeurs, vous êtes une femme mariée avec un homme dont chacun connaît l'influence et l'intégrité. Nous savons aussi que vous avez traversé des périodes douloureuses auxquelles vous avez su faire face avec dignité. Mais sachez que lorsque l'on parle de vous dans les salons, il n'est plus question de dignité.*

Le cœur d'Adèle s'emballe, sa main se met à trembler entraînant la lettre dans son mouvement de secousse. Son regard cherche aussitôt la signature : il n'y en a pas. Adèle tourne machinalement la lettre. Il n'y a rien non plus. Une correspondance anonyme, elle devrait la déchirer sans la lire tant le procédé la répugne. Mais elle n'y parvient pas, c'est plus fort qu'elle, elle poursuit sa lecture.

Vous ne pouvez ignorer que ce cher Gustav est en couple avec Emilie Flöge, vous savez aussi qu'il a besoin de s'alimenter, en chair fraîche, régulièrement. Bien sûr, il met cela sur le compte de son art, mais c'est là une méthode un peu facile. Je ne parle pas de ses modèles qui acceptent bien volontiers le supplément qu'il leur demande. Je parle des femmes du monde comme vous, qui se compromettent sans se rendre compte qu'il ne donne aucun sentiment et qu'il n'en donnera jamais. Il s'enorgueillit ensuite de ses nombreuses conquêtes qu'il croise au bras de leur mari les soirs d'opéra. Vous n'obtiendrez jamais son cœur, madame, pour la simple raison qu'il n'en a pas. Il est ce genre d'homme égoïste, qui ne pense qu'à lui, qui aime se montrer avec de jolies femmes et si elles peuvent lui apporter des commandes sonnantes et trébuchantes, c'est encore mieux pour lui.

Je ne suis pas l'une de vos amies mais l'une de ses proies, et je ne lui pardonnerai jamais. Il m'a trompée avec vous, ou vous a trompée avec moi, prenez-le comme vous le voulez. Je le sais de son propre aveu. Il est insatiable et ne pense jamais au mal qu'il peut faire.

Je vous aurai prévenue.

Adèle est tentée de se précipiter chez Klimt, à son atelier. Elle veut lui mettre cette lettre sous les yeux, voir sa réaction, exiger des explications. Comment a-t-il pu se comporter ainsi avec elle, évoquer leur liaison ? Avec qui donc l'a-t-il confondue ? Avec ces femmes de basse condition qui vendent leur nudité pour quelques couronnes. Avec celles qui espèrent un peu de gloire sous le pinceau du peintre en vogue qui les immortalisera. Mais elle, Adèle ? Elle n'a nullement besoin de s'abaisser à leur niveau. Mille sentiments et ressentiments se bousculent et s'entrechoquent en l'espace de quelques minutes. Elle y va, c'est décidé. Impossible d'attendre. Elle jette un coup d'œil à travers la fenêtre, il fait nuit noire. Elle revient sur sa décision et puis sent ses maux de tête s'annoncer sans préalable.

Depuis leurs douze ans de vie commune, Ferdinand sait déceler au premier coup d'œil les douleurs de sa femme. À chaque fois, invariablement, la même scène se reproduit. Il la voit plisser des yeux, se passer la main sur le front et soupirer. Il suggère de faire appeler le médecin, Adèle refuse. Cela ne sert à rien et elle veut être solidaire de ceux qui ne possèdent pas le moindre argent pour se faire soigner. Depuis qu'elle fréquente assidûment Julius Tandler, elle côtoie la misère d'une grande partie des Viennois. Cela la révulse. Elle ne connaît qu'un seul remède à ses migraines, se coucher dans le noir, un linge humide sur les tempes qui cognent à tout va. Et attendre que le mal s'évanouisse.

Sa nuit a été agitée. Peu importe qu'elle en garde les traces sur son visage, peu importe que ses traits soient tirés, elle est bien décidée à montrer cette lettre à Klimt. Même lorsqu'elle songe à lui, c'est par son nom de famille qu'elle le nomme. Gustav, elle le réserve à son beau-frère.

Une heure plus tard, Adèle pousse cette porte dont elle connaît parfaitement le crissement. Elle ignore la pancarte sur laquelle Klimt a écrit la phrase suivante : « Inutile de frapper, on ne vous ouvrira pas. » Rien ne peut la réfréner. Elle ne prend pas non plus de précaution pour se faire annoncer malgré le caractère tempétueux de cet ours qui semble parfois sortir d'une caverne. Peu importe si elle le trouve avec une autre. Au contraire, peut-être même qu'elle adorerait le découvrir en mauvaise posture.

La gouvernante du peintre veut le prévenir, mais Adèle la devance. Elle parcourt le salon sans ralentir son pas, puis traverse la réserve à filles. La pièce est vide, mais il est encore tôt. Klimt n'est pas non plus dans son atelier.

– Monsieur n'est pas encore descendu, je vais l'appeler.

Dix minutes plus tard, l'homme descend, les cheveux ébouriffés. Il vient manifestement de se réveiller. Ça n'est pas dans ses habitudes de se prélasser dans son lit, il est un matinal.

– Se passe-t-il quelque chose de grave ?

– Avez-vous vos lunettes ? demande rudement Adèle tout en lui tendant la lettre.

Klimt ouvre le tiroir de sa table de travail, saisit un boîtier duquel il extrait une paire de lunettes qu'il chausse aussitôt. Il se met à lire la lettre à mi-voix en marmonnant, de façon inaudible. Parvenu à la dernière ligne, il s'exclame :

– Adèle, c'est pour ces balivernes que vous vous êtes dérangée de si bon matin ? Mais enfin, n'accordez aucune importance à ces commérages !

Klimt ne cherche pas à dissimiler son agacement.

– Mais ne comprenez-vous donc pas que nous sommes découverts et que la prochaine lettre sera destinée à Ferdinand ?

– Il s'agit des mots d'une pauvre folle, n'en tenez pas compte. Restez au-dessus des nuages ! Comment aurais-je donc fait si, toute ma vie, j'avais dû réagir à chaque insulte anonyme ?

– Qui est-ce ? Dites-le-moi.

– Je n'en ai aucune idée, il peut seulement s'agir d'une femme dont je n'ai pas voulu faire le portrait. Je vous assure qu'en dehors d'Emilie, je ne vois personne d'autre que vous.

« Est-il si expert en mensonges pour ne montrer aucun signe de défaillance ? », se demande Adèle. Il n'a pas cillé, aucune expression ne l'a trahi. Ou bien dit-il la vérité ? Elle est soudain désemparée, ne sait plus si elle doit faire confiance à cet homme ou à ces mystérieuses déclarations. Klimt pourrait-il se servir d'elle pour se vanter dans Vienne et profiter des largesses de son mari ? Chaque portrait, dit-on, lui rapporte l'équivalent d'une belle villa sur le lac d'Attersee. Elle n'a jamais évoqué la question de l'argent ni avec lui ni avec son mari, ça n'est pas de son ressort. Mais non, ça elle ne veut pas le croire. Il ne peut pas se jouer d'elle, être malhonnête à ce point. Il lui a fait des déclarations, elle ne les a pas inventées.

– Gustav, ne me prenez pas pour une idiote, c'est tout ce que je vous demande. Je vais réfléchir, j'ai besoin d'être seule.

– Vous connaissez ma vie. J'aime les femmes, vous le savez, mais depuis que je vous ai tenue dans mes bras, il n'y a que vous.

– Il y a Emilie.

– Emilie, je ne la touche plus depuis longtemps. Je dors près d'elle, c'est vrai, elle est mon amie, celle qui m'accompagne dans cette vie épuisante.

Sur cette dernière phrase, il s'approche d'elle, l'enlace. Mais Adèle reste raide, les deux bras croisés sur sa poitrine, placés comme un rempart. Qu'il ne s'approche pas de son cœur.

– Laissez-moi, je vais rentrer.

En partant, Adèle aperçoit le tableau qu'il réalise d'elle. Elle se retourne une dernière fois. Il a bien avancé depuis la dernière fois. Elle n'est pas certaine d'aimer ce nouveau style, mais quelle importance cela peut-il bien avoir ?

Cent fois ? Adèle ne sait plus à combien de reprises elle a lu et relu cette maudite lettre. Comment pourrait-elle savoir qui la lui a adressée ? Quel stratagème pourrait-elle mettre au point pour en découvrir l'auteur ? Elle n'a pas réussi à la déchirer, comme la prudence et la raison le lui recommandaient. L'enveloppe est soigneusement cachée dans un tiroir de son secrétaire, fermé à clef, dans sa chambre. Là où Ferdinand ne pénètre quasiment jamais.

Elle n'a pas revu son amant. Ces accusations la taraudent et ne lui laissent aucun moment de répit. Elle ne veut pas croire qu'il puisse la manipuler. Elle lui laisse une chance, elle aimerait qu'il se manifeste. C'est lui le maître du jeu, comme toujours. Et c'est encore elle qui attend. Ce silence lui est insupportable. Elle s'interroge sur Emilie Flöge : comment peut-elle admettre le comportement de son compagnon ? Cette fois, elle s'en ferait presque une alliée.

L'idée fait son chemin. Adèle a soudain besoin d'une nouvelle robe, et elle ira la faire réaliser dans le salon de couture de cette fausse Mme Klimt.
Lorsqu'au dîner Adèle évoque la nécessité d'une nouvelle tenue, Ferdinand se montre ravi. Il adore que sa femme ait des envies, quelles qu'elles soient. Il ne peut

que l'encourager, il l'interroge sur la couleur et la forme qu'elle envisage. Adèle n'y a pas encore réfléchi, elle s'en remettra à cette Emilie qu'elle a pris soin de tenir éloignée jusqu'à présent. En moins de trois jours, les températures ont chuté, mais Adèle se sent prête à tout affronter. Elle a convoqué une fois de plus la voiture et se rend cette fois aux Schwestern Flöge, dans la Mariahilfer Straße. Entre le tramway, les voitures à cheval et celles à moteur, le trafic est devenu dense dans le centre de Vienne. Sans compter ces bicyclettes qui se multiplient et les personnes à pied qui surgissent de droite comme de gauche entre tous ces engins.

L'automobile des Bloch s'arrête devant le salon de couture à la mode. Deux portiers se précipitent pour accueillir cette grande dame. Depuis le tableau *La Dame en or*, Adèle est devenue l'une des femmes les plus célèbres de Vienne. De quoi susciter la jalousie.
C'est au tour d'Emilie Flöge de venir à sa rencontre.
– Quel plaisir de vous recevoir ici. Je désespérais de ne pas vous compter parmi mes clientes. Que puis-je faire pour vous ?
– J'avais conservé mes habitudes chez les couturiers parisiens et chez ceux de la Wiener Werkstätte. Cette fois, je m'en remets à vous. Je n'ai pas d'idée particulière, à vous de me faire des propositions !

– Parfait, commençons par prendre vos mesures. L'une de mes couturières va s'occuper de vous pendant que je vais chercher mon carnet de croquis. Savez-vous que je rentre tout juste de Londres ? Je vous installe dans le salon vert.

Bien sûr, Adèle le sait par Gustav Klimt, mais elle a la présence d'esprit de lui répondre qu'elle l'ignorait.

Quelques instants plus tard, la couturière transmet à Emilie Flöge les mensurations d'Adèle.

– Vous avez les mesures idéales, chère Adèle. Je comprends que Gustav aime vous croquer.

Adèle ne saisit pas cette perche que lui tend sa nouvelle alliée. Elle ne répond pas, tout juste esquisse-t-elle un sourire.

La créatrice feuillette un carnet et s'arrête sur un modèle.

– Regardez ce tailleur, il est fait pour vous. Il allie le noir et le blanc, les péchés et la pureté. N'est-ce pas magnifique ?

Adèle manque de s'étouffer aux sous-entendus grossiers qu'elle vient d'entendre. Elle penche la tête vers le dessin pour se concentrer sur le modèle. La jupe est noire, parvenant au-dessus de la cheville. Elle s'accompagne d'un chemisier blanc aux manches bouffantes. Mais c'est surtout la veste qui retient son attention. De taille trois quarts, elle est noir et blanc avec des motifs géométriques et bordée de fleurs en tulle noir tout le long du col.

– J'aime beaucoup ce modèle. Je serais très heureuse de le porter.

– Considérez qu'il est déjà à vous. Le voulez-vous en pièce unique ? Je vous le recommande, il est trop original pour être porté par deux femmes, surtout deux femmes du monde. Ce n'est pas comme les hommes : ils ont beau être uniques, ils savent se démultiplier.

– Merci, madame Flöge. Quand ce tailleur sera-t-il prêt ?

– Dans trois semaines environ, parce que c'est vous. Vous avez vu ces manches bouffantes ? Elles m'avaient déjà inspirée pour créer les blouses de Gustav. Il n'y a que lui qui les porte. Vous verrez quand il passera à la postérité, il sera dans cette tenue.

Adèle remercie. Elle ne veut pas poursuivre cette conversation dont elle n'a pas la maîtrise. Elle croyait être la plus forte, elle comprend désormais l'attachement de Gustav Klimt à cette femme si astucieuse qui possède l'art du verbe. Elle en est maintenant convaincue, Emilie Flöge ne peut être que l'inspiratrice de cette lettre anonyme.
À écouter Klimt, ils seraient quasiment comme frère et sœur, capables de dormir l'un près de l'autre sans se toucher. Ils ne vivent d'ailleurs pas ensemble. Adèle aimerait comprendre la nature de leur relation. Leur complicité ne fait pas l'ombre d'un doute. Ce sont des affranchis.

Adèle s'apprête à franchir le seuil de l'atelier quand Emilie la retient par le bras.

– Gustav a beaucoup aimé son séjour chez vous. Il est rentré plein de vigueur.

Adèle prend cette déclaration en plein cœur, mais fait face.

– J'en suis fort heureuse. Vous serez la bienvenue la prochaine fois, bien entendu.

Le temps fait son office et apaise les tensions entre les amants qui se revoient à l'occasion. Klimt est en voyage. Il se trouve en Bohême après un séjour à Rome et un autre à Wodolka. Et puis, il est préoccupé, il doit déménager son atelier. C'est pour lui un déchirement, mais il est expulsé, il ne peut faire autrement. Heureusement, il en a trouvé un autre, excentré mais qui lui plaît, le jardin sera un peu plus grand. Il sera désormais au 11 de la Feldmühlgasse, au-delà du château de Schönbrunn. Le parc attenant est encore plus vaste que celui du Belvédère, il pourra s'y délier les jambes après ces heures cloué sur son tabouret de peintre. Lorsqu'ils se retrouvent dans son nouvel antre, Adèle ne se sent pas dépaysée. Il a fait installer les meubles dans la même disposition. Rien n'est changé. Mais tout est différent entre eux. La lettre a instillé de la méfiance chez Adèle. La magie magnifique de la passion a disparu. Les corps ont leurs habitudes, mais Adèle ne s'abandonne plus comme par le passé. Elle ne consent pas à rompre. Elle redoute la peur du vide du jour d'après. Certains jours, elle se demande même si elle aime toujours Gustav ou si cette mise en danger lui est devenue nécessaire, indispensable même.

17. À la façon des kimonos

La lettre anonyme incite les amants à se montrer plus prudents, pour se protéger de la rumeur comme des murmures acides. Ils ont espacé leurs rendez-vous. Le peintre a pris conscience qu'il devait achever ce second portrait au plus vite pour justifier les nombreuses visites d'Adèle. Il a d'autres toiles en souffrance, entreposées dans son atelier ; il a pris du retard, il va lui falloir rattraper le temps perdu. Il fêtera ses cinquante ans le 14 juillet prochain, cette idée le mine. Il se sent devenir un vieil homme. Fréquenter des femmes plus jeunes que lui allège le poids des années, mais ne suffit plus. Il pense à son frère Ernst, se demande s'ils feraient toujours route ensemble. Les trente années passées depuis sa mort ont filé tellement vite. Gustav Klimt fait le tour de son atelier, observe ce qui lui reste à terminer, comme si un sentiment d'urgence le taraudait. Il a la certitude qu'il ne finira jamais ce qu'il a entrepris.

D'ici à un mois, il pourra remettre le deuxième portrait à Ferdinand, même s'il considère qu'aucun tableau n'est jamais achevé. Quel brave homme ce Ferdinand Bloch. Klimt lui est reconnaissant de son soutien ; il vient de lui acheter un nouveau tableau, *Le Pommier*. Mais il a la conscience en paix. Ce n'est pas un homme d'état d'âme quand il s'agit de couple et de désir, et c'est toujours une bénédiction de contenter un mari dont on a conquis la femme, la trahison est compensée à demi. Il ne doit pas le décevoir. Depuis la mort de Ludwig Hevesi, son plus grand soutien, l'argent se fait plus rare. Gustav Klimt se penche à nouveau sur le portrait d'Adèle, puis recule de trois pas pour l'observer avec plus de distance. Il vient de renouveler son style avec ce tableau. Il se rapproche du naturalisme. Il a procédé par demi-tons, que cela soit dans le carré vert symbolisant la campagne ou le tapis bleu aux pieds d'Adèle. Il a conservé le principe des arabesques qu'il aime glisser dans ses toiles. Les couleurs rappellent celles empruntées à Matisse que le peintre a vu émerger à Paris en même temps que les fauves. Cette déclinaison de rose à l'arrière-plan du modèle évoque la fleur favorite d'Adèle. Elle lui a longuement parlé de son projet de roseraie qu'elle compte installer dans les jardins de son château. Des catalogues sont arrivés d'Angleterre pour repérer et commander des bulbes de ces roses précieuses comme les pierres qu'elle porte. Klimt, qui se passionne de jardinage depuis quelque temps, lui a expliqué comment organiser les teintes entre elles. Les plus claires de prime abord, les plus profondes à l'arrière, la nature est une peinture. Adèle connaît chaque respiration de ce vers de Hofmannsthal qui lui vient à l'esprit :

« Et pourquoi les couleurs ne seraient-elles pas sœurs de douleurs, puisque les unes et les autres nous attirent dans l'éternel ? »

Elle semble si fière, Adèle, sur ce portrait. Debout, presque raide et figée, elle porte une longue étole qui couvre ses épaules et descend le long de sa robe à la façon des kimonos qui illustrent les estampes japonaises dont raffole Klimt. Adèle ne laisse presque rien apparaître de sa peau, seulement celle de ses mains. Sa peau, celle qu'il connaît, exquise, celle qu'il a caressée des heures durant, c'est seulement pour lui... Mais c'est son expression qui frappe. Sur la toile, Adèle est là sans être là. Rien n'accroche son regard lointain. Pas la moindre esquisse de sourire non plus. Toutes les émotions l'ont quittée.

18. Les infortunes

Adèle vient de célébrer ses trente et un ans. Comme à chaque anniversaire, Ferdinand lui offre un bijou. Elle en a déjà tant. Ce qui la réjouit intérieurement dépasse tout l'or du monde. Elle attend un enfant. Enfin! Elle est enceinte, elle n'est donc pas infertile comme elle l'avait craint après la mort de Fritz. Son utérus a pu être fécondé à nouveau, il abrite une vie naissante. Quel bonheur lorsque le docteur Bruden lui a confirmé qu'elle portait la vie. Près de neuf années après la disparition de Fritz.

Après l'annonce du médecin, elle s'est rendue sur la tombe de son petit garçon déposer un bouquet de violettes et se recueillir. Elle tenait à lui expliquer que cet enfant ne prendrait jamais sa place dans son cœur.

Adèle n'a d'abord rien voulu dire à Ferdinand, pour ne pas risquer une fausse joie. La brutalité de la vie lui a appris à rester prudente. Elle met de la distance dans sa relation avec Gustav Klimt, comme si son corps devenu un écrin ne devait plus être approché. Avec Ferdinand, le couple continue à mener sa vie comme si rien n'avait changé. Un soir, Ferdinand décide d'emmener son épouse dîner dans le restaurant de l'hôtel Sacher où ils ont leurs habitudes. Le maître d'hôtel les conduit à leur table favorite. Depuis l'ouverture du grand hôtel, toute la haute société viennoise se presse dans les salons ouatés de cette institution. Les entrées sont à peine servies par un maître d'hôtel en gants blancs qu'Adèle ressent de violentes nausées. Il n'est pas question de les évoquer auprès de Ferdinand, elle veut garder ce secret pour elle seule. Elle se sent tellement puissante de savoir qu'un petit être se développe à nouveau en elle. Elle regarde les tables autour d'elle pendant qu'une petite voix répète à l'envi dans son esprit : « Je suis enceinte, je suis enceinte. » Mais les nausées s'accentuent encore.

– Ferdinand, je ne me sens pas bien, rentrons.

– Mais ma chérie, nous venons seulement de commencer !

– Je vous en prie, partons. J'ai de terribles maux de tête.

Ferdinand la regarde d'un air inquiet, mais ne se doute pas d'un mensonge ni d'une cachotterie. Elle est si coutumière de ce mal.

– Devons-nous appeler un médecin ?

Il pose la question, mais connaît déjà la réponse.

– Non, je crois que c'est simplement un coup de fatigue, j'ai sans doute pris froid au Belvédère. Adèle n'est pas une femme capricieuse ; elle est certes un peu fantasque, parfois. Ces maux de tête le préoccupent. Ferdinand avale autant de bouchées qu'il le peut avant de se lever et de tirer la chaise d'Adèle, de prendre son bras et de l'aider à se lever. La soirée est terminée avant d'avoir vraiment commencé. Dans l'automobile, Adèle pose sa tête contre l'épaule de Ferdinand, qui fond de tendresse et la serre contre lui, avec des gestes doux. Après toutes ces années de mariage, chaque geste de sa femme le bouleverse.

Il est temps, désormais, qu'elle lui annonce cette grande nouvelle. Comme elle souhaite le retour de Ferdinand, ce jour-là ! Elle est tellement impatiente. Adèle veut que ce soit une fête dont elle et son mari se souviendront toute leur vie. Elle fait servir du vin de Champagne, du Cristal Roederer, rosé et millésimé. Celui que Ferdinand fait livrer directement de Reims et qu'il fait sortir de sa cave uniquement pour les grandes occasions. À son attitude, Ferdinand comprend très vite ce qu'Adèle veut lui annoncer. Il n'y croyait plus. Les événements dramatiques lui ont appris la retenue, alors il peine à se réjouir. Adèle semble si sûre, si confiante qu'il n'a pas d'autre choix que l'accompagner dans son bonheur annoncé. Ils vont avoir un enfant, un héritier, un ange à chérir à chaque seconde. Un Bloch-Bauer va naître et cette fois, pas chez Thérèse et Gustav mais bien chez Adèle et Ferdinand. Quelle joie!

S'est-elle déjà sentie plus légère, plus heureuse que depuis la naissance de Fritz? Elle baigne dans un halo de félicité. Elle en était certaine, elle avait bien ressenti les transformations de son corps pourtant à peine visibles.

Chaque matin, deux heures seulement après s'être levée, Adèle éprouve un besoin irrépressible de se recoucher. Il lui faut s'allonger et dormir. Elle ne parvient même pas à ouvrir un livre. Est-ce son âge ou la mémoire des drames passés? Elle est totalement indolente. Elle en a pourtant vu des femmes, comme sa sœur Thérèse, redoubler d'énergie pendant les neuf mois de grossesse. Thédy est la seule dans le secret, avec Hannah qui a très vite deviné. Le bonheur se diffuse en Adèle chaque jour un peu plus. Klimt est bien loin… Sa présence s'est évanouie à l'instant même où elle a su pour sa grossesse.

Au fil des jours, l'optimisme gagne du terrain chez Ferdinand. Il demande à toucher son ventre encore plat tout en murmurant des mots doux à celle qu'il surnomme toujours «mon amour adoré». Peut-il y avoir davantage de plénitude au sein d'un couple que d'attendre un enfant après toutes ces années?

Adèle doit pousser son mari à se rendre à son bureau, il pourrait rester là des journées entières à la contempler, comme l'on regarde une fleur s'épanouir. Ce matin-là, il est à peine parti qu'un livreur sonne pour apporter un gigantesque bouquet de roses thé que la femme de chambre installe dans la chambre de madame, sous ses yeux. L'un comme l'autre vit ces jours dans l'ivresse d'un bonheur annoncé, loin des battements du monde.

Le couple Bloch a renoncé à ses réceptions afin de ne pas fatiguer la parturiente dont le ventre s'arrondit.

Un mardi – jusqu'à sa mort, Adèle se souviendra qu'il s'agit d'un mardi –, des douleurs se font ressentir dans le bas de ses reins. D'abord lancinantes puis d'une violence inouïe. Il lui semble qu'une main invisible vient à l'aide d'un long couteau à la lame acérée lui arracher les entrailles. Adèle prie qu'on fasse venir le médecin, puis supplie qu'il arrive le plus rapidement possible. Le personnel tente de dissimuler son inquiétude. On envoie Franz quérir le docteur Bruden. En pleine consultation, le médecin a juste le temps de saisir son chapeau et sa mallette. Il arrive trop tard. Adèle n'est plus une future maman. Elle a perdu beaucoup de sang. Et avec ce sang, l'enfant qu'elle portait.

Le docteur Bruden tente de réconforter Adèle du mieux qu'il le peut.

– Nous savons maintenant de façon certaine que vous pouvez à nouveau tomber enceinte. Laissez passer quelques mois, le temps de vous remettre.

Adèle ne répond pas. Elle a attendu cette nouvelle grossesse près de dix ans. Elle veut être seule. Qu'on la laisse enfin seule. Seule avec son rêve d'enfant. Ses douleurs ne s'ajoutent pas, elles se multiplient. Cette perte décuple le souvenir de sa fille mort-née avant terme et de Fritz, qu'elle avait pu serrer contre elle quelques heures. Qui dira la douceur de sa peau ?

Au moment où le médecin s'apprête à franchir la porte, Adèle l'implore :

– Était-ce une fille ou un garçon ?

– Nous ne pouvons pas savoir. Ce n'était qu'un embryon, il n'était pas encore formé.

Dans un cri déchirant qui lézarde la paix de cette maison, Adèle hurle :

– Ce n'était pas un embryon, c'était mon enfant ! Mon enfant, vous entendez !

Elle saisit le biscuit représentant deux angelots tête contre tête qui se trouve à portée de main, sur sa table de chevet. Elle le lance contre le mur. La porcelaine se brise en mille éclats. C'est la première fois qu'Adèle perd son sang-froid. Avant d'éclater en sanglots, dans le même fracas que les angelots. Le docteur Bruden donne à la femme de chambre un sédatif pour sa maîtresse.

Lorsque Ferdinand arrive, prévenu et le visage défait, il se dirige immédiatement vers la chambre de sa femme. Hannah n'a pas osé s'approcher pour le débarrasser de son pardessus et de son chapeau. Ils échangent un regard qui leur suffit. Rompant avec ses habitudes empreintes de bonnes manières, Ferdinand entre dans la pièce sans frapper. Il trouve Adèle endormie, le calmant a fait son effet. Recroquevillée sur elle-même, les bras autour de son ventre, comme s'il y avait encore un espoir à protéger, Adèle semble paisible. La tête inclinée vers sa poitrine, le menton contre le plexus. Il écarte la mèche de cheveux qui masque une partie de son visage, regarde celle qu'il aime plus que tout, dépose un baiser sur son front. Lui aussi a le cœur déchiré; comme elle, il a tant espéré que cette fois serait la bonne.
Comme elle, il comprend qu'il n'y aura pas de fois prochaine. Il détourne la tête, Adèle dort, elle ne verra pas les larmes de son mari. Pour la troisième fois de sa vie d'homme, Ferdinand Bloch pleure.

Adèle refuse de sortir de la chambre pendant les quarante-huit heures qui suivent ce jour funeste. Elle revit son cauchemar de 1903, puis celui de 1904. Le visage de Fritz qu'elle croyait avoir oublié vient la hanter. Adèle Bloch s'est renfermée en elle-même, comme la dernière fois. Ferdinand a du mal à trouver les mots justes, mais il ne cesse de lui renouveler des témoignages d'amour. Il prononce la même phrase qu'au début de leur mariage : il l'aime, que leur couple ait ou non un enfant.

Qui pourrait en douter ?

Thérèse est là pour tenir la main de sa sœur. Adèle continue à imaginer le visage qu'aurait eu leur enfant. Il aurait ressemblé à ses cousins ; dans les veines de leur père comme de leur mère coule le même sang. Elle songe à sa propre enfance. Elle cherche à comprendre quand elle-même a cessé d'être une enfant. À quel moment est-elle sortie de ce cocon qui protège des infortunes de la vie ? Elle s'est mariée si jeune. Est-ce une des raisons de son malheur ? Est-elle responsable de cette malédiction ? Elle a brûlé les étapes, comme si le fil de la vie n'avait pas été respecté. Il s'est rompu quelque part. Il ne s'est pas effiloché, il s'est cassé net et l'a brisée, elle, dans le même temps.

Adèle se ment en partie à elle-même. Elle nie l'évidence. Ce qu'elle se reproche a un nom, un visage, un corps. Sa liaison avec Klimt est immorale et elle en paie le prix. Elle n'a pas été une honnête femme, pas au sens où une femme doit l'être. Elle aurait préféré être une femme du peuple, s'affranchir de ce carcan bourgeois qui l'oppresse jusqu'à l'étouffement. Elle n'a pas été la femme d'un seul homme mais hormis Thérèse, quelle femme est vertueuse une vie entière? Elle fait de son mieux pour aimer Ferdinand même s'il n'y a pas eu de passion. À l'aune de son temps et de son milieu, c'est un mariage parfait qu'elle a entaché. Mais c'est terminé, elle s'en fait le serment, elle ne reverra jamais plus Gustav Klimt.

Désespérée, Adèle passe encore près d'un mois recluse, à réorganiser sa bibliothèque. Elle change certains ouvrages de place, les associe selon un nouvel agencement. C'est dans sa vie qu'elle remet de l'ordre; elle a fait savoir à Klimt qu'elle était souffrante, il ne sait rien de ce qui lui est arrivé.

Les jours ont filé, Thérèse rend visite à sa sœur. Elle tente de la distraire et lui raconte les derniers cancans de Vienne.

– Sais-tu que votre ami Klimt est devenu père?

Interdite, Adèle attend la suite de la phrase.

– Sa maîtresse, Consuela Huber, a mis au monde leur enfant, il y a quelques mois. Il paraît qu'il va le voir de temps en temps. Comment? Tu ne savais pas qu'il avait une liaison avec elle?

Adèle sent sa tête comme prise dans un étau. Elle demande à Thérèse de la laisser. Ses maux de tête, toujours. Quelle trahison! La pire de toutes. Elle n'était donc pas la seule femme. Gustav avait une maîtresse, une maîtresse à qui il a fait un enfant. Impossible de joindre Klimt, il se trouve à Munich pour la XIe Foire internationale. Ironie du sort, il y expose le second portrait d'Adèle. Comme elle le hait, comment peut-il se conduire ainsi? Elle ne veut plus rien partager avec lui.

Et que ferait-elle s'il était là face à elle, maintenant? Adèle imagine très bien ce que Gustav lui dirait. Il repousserait d'un mot ces «commérages» que Thérèse vient de lui rapporter. «Nous, c'est trop précieux.» Il a trop d'emprise sur elle, il risquerait de la convaincre de ne pas renoncer à eux.

Elle aimerait tant être morte à cet instant mais elle entend sa propre respiration, alors elle sait qu'elle est vivante et condamnée à la souffrance. Elle a lu dans les journaux que les suicides sont plus nombreux à Vienne qu'ailleurs. Plus encore chez les femmes, plus encore chez les femmes juives. Pour cause de sentimentalité, disent-ils.

Adèle ne souffre pas de chagrin d'amour, elle meurt de chagrin d'enfant.

Alors Adèle s'installe à son écritoire, sort sa plume, écarte le papier parfumé pour une feuille plus sobre et rapidement, comme un coup de griffe, elle écrit :

Gustav,

J'ai vécu à vos côtés des heures merveilleuses. Vous m'avez entraînée loin dans un monde qui n'est pas le mien. Sans vous, je n'aurais pas connu l'ivresse d'être vivante, la plénitude d'être aimée, cette intimité sans effort, où les mots et les gestes se répondent naturellement. La source était limpide et votre torrent m'a emportée. Je n'ai ni regrets ni amertume.

Mais la parenthèse s'arrête là. Étrangement, je ne me sens pas coupable vis-à-vis de Ferdinand. Je devrais pourtant... S'il apprenait, comment pourrait-il comprendre ? Je pourrais m'abriter derrière la raison, la réputation honorable des Bloch et les épreuves cruelles qui me lient à tout jamais à mon mari.

Je pourrais vous reprocher aussi votre conduite, mais je ne le ferai pas. J'ai appris que les femmes peuvent se contenter d'elles-mêmes et trouver ainsi une forme de sérénité. Je le vois bien. Les hommes ont toujours besoin de conquérir, des chimères ou une femme, qu'importe, il leur faut chasser, viser, abattre et repartir. Ferdinand, vous, Mahler, Freud et les autres êtes pareils dans votre orgueil même.

Depuis plusieurs semaines, le ciel n'est plus aussi pur.

Les arbres ont repris leur couleur originelle. Je vous vois à nouveau comme un homme, un pauvre humain semblable à tous les autres, génial comme peintre mais qui ne vaut pas mieux que le premier venu. Je dois fermer les yeux pour retrouver une magie qui n'est plus.

J'ai pleuré. Je vous ai maudit. J'ai payé le prix le plus cher qu'il m'était donné de payer. Mais vous n'êtes responsable de rien. Je ne crois en aucun dieu, sinon à l'absurdité de la vie. Cette lucidité n'aide pas à souffrir.

J'observe depuis toujours les arbres dans ces jardins où j'aime tant flâner. Ils sont bien plus vieux que nous, donc bien plus sages. Aucune blessure chez eux n'est mortelle. Une branche coupée, une entaille, un rameau que le vent arrache, une cime qui ploie, rien n'est définitif. L'écorce se referme.

Je vais vieillir comme eux, mes fêlures vont se recouvrir d'écorce. J'ai cru être une autre. C'était délicieux et vain.

Je vous demande de ne plus chercher à me revoir.

Plus tard, peut-être, pourrons-nous partager une amitié solide, de celle qui recouvre les secrets.

Adèle

19. Le gris et le noir

En ce 28 juin, comme chaque matin, Hannah ouvre les rideaux pour réveiller madame. Le soleil en profite pour glisser quelques rayons qui viennent mourir près d'Adèle. Elle se sent bête et gaie. Ivre aussi. Une ivresse nonchalante qui lui tombe dessus, la prend en traître. Et légère aussi. De cette légèreté, euphorie éphémère, qui l'avait toujours fuie. La perspective d'un ciel bleu chasse les jours mauvais. Aucun événement particulier pourtant ne doit venir égayer cette journée. Adèle se promet de commencer à préparer leur prochain séjour dans leur château en Bohême. Là où ils aiment marcher des matinées entières depuis que Ferdinand a fait l'acquisition de cette propriété. Elle songe à ces futures promenades au milieu de ces herbes qui leur arrivent à la hauteur des genoux avant qu'elles ne soient fauchées. À ces fleurs qu'il faut veiller à ne pas écraser avec leurs grosses chaussures. Elle a tenu son engagement à cesser sa liaison avec Klimt. Il n'a pas insisté, il a compris. Adèle a réappris à se contenter des petits bonheurs, de ces mille et une choses infimes qui rendent la vie lumineuse. Souvent, elle songe à ce qu'elle a vécu auprès de lui. On ne capture pas un fauve, c'est ainsi. Mais il lui a tant apporté qu'elle s'en nourrit encore. Souvent, dans ses lectures, elle recherche des bribes d'histoire qui ressembleraient à la sienne, à la leur. Elle commande deux à trois livres par semaine, il a fallu agrandir sa bibliothèque.

Hannah vient d'apporter l'œuf coque d'Adèle dont elle s'apprête à briser la coquille sur le dessus lorsque le téléphone sonne. La femme de chambre s'absente un court instant avant de revenir affolée et essoufflée.
– C'est monsieur, il dit que c'est grave, que madame doit venir tout de suite.
– De quoi s'agit-il, Hannah ? D'un accident ?
– Je ne sais pas madame, il faut venir.
Adèle se précipite dans le vestibule et prend le lourd combiné.
Elle a tout juste le temps de dire « allô » que Ferdinand dans un gémissement lui assène :
– Adèle, c'est terrible, nous allons vers la guerre. Ils ont assassiné l'archiduc François-Ferdinand à Sarajevo. Il est

mort. Ils ont également tué son épouse Sophie. Ce sont des sauvages, nous ne pouvons laisser passer ça.

Adèle ne parvient pas à retenir un cri.

– Mon Dieu, c'est abominable.

– Ils étaient dans leur voiture, l'archiduc a reçu une balle en pleine figure et Sophie dans l'abdomen. Ils n'ont pas survécu. Ils venaient tout juste d'échapper à l'explosion d'une bombe.

– Quel jour sommes-nous ? Le 28 juin, mon Dieu, c'est la date anniversaire de l'annonce de leur mariage. Je m'en souviens comme si c'était hier, c'était juste après le nôtre.

– Je vous laisse ma chérie, je vais aux nouvelles. Mais elles ne seront pas bonnes.

– Mais pourquoi les rois se feraient-ils la guerre, ils sont tous cousins ?

– Malheureusement, je crains que les forces de la guerre l'emportent.

Les jours suivants Adèle attend, chaque soir, avec plus d'impatience le retour de Ferdinand. Il a reporté son déplacement en Bohême. L'industriel redoute l'escalade. Il a besoin de consolider certaines de ses affaires si l'Empire venait à s'embraser. Adèle aime échanger avec son mari, la lecture des journaux ne lui suffit plus. Et Thérèse, trop occupée par sa nichée, n'a guère le temps de s'intéresser aux nouvelles du monde.

Chaque soir, à la bibliothèque ou à table, le couple discute de l'orage à venir dont ils perçoivent déjà les grondements. Adèle ne comprend pas pourquoi le principe d'un ultimatum voté le 7 juillet au Conseil de la Couronne n'est toujours pas parvenu à la Serbie.

– Ce sont là des choses délicates, il faut le rédiger en Conseil des ministres, se mettre d'accord sur les différentes conditions. Je me suis laissé dire qu'il y aurait dix points distincts, chaque virgule a son importance.

– Mais que disent les pays occidentaux?

– Je crois que, pour le moment, ils ne réagissent pas vraiment. Ils pensent que c'est une crise supplémentaire dans les Balkans qui ne les concerne guère.

– Et moi, je me demande si l'empereur François-Joseph a vraiment envie de venger l'archiduc qu'il ne portait pas dans son cœur depuis sa mésalliance.

– Faire ou ne pas faire la guerre, Adèle, ne relève pas des sentiments.

– Voilà que vous recommencez à me prendre pour une écervelée. Vous me reprochez mes liens avec Julius Tandler, mais lui ne me considère pas comme une imbécile. Allons dîner.

Une humeur épouvantable assaille Adèle. Sa contrariété, lourde comme un manteau d'airain, ne la quitte pas de la soirée. Cette fois, tant pis, elle ne fera pas d'effort. Ferdinand pourrait lui accorder plus de considérations à la fin, c'est agaçant.

Le 23 juillet, l'ultimatum autrichien parvient enfin à Belgrade. Deux jours plus tard, le gouvernement serbe fait savoir qu'il ne peut accepter que huit points sur les dix exigés. La machine belliqueuse est en marche, plus rien ne l'arrêtera. Chacun, dans un esprit conquérant, commence à mobiliser ses troupes. Le 28 juillet, l'empereur François-Joseph déclare la guerre à la Serbie.

Adèle fait les cent pas, elle n'en peut plus d'attendre le coup de fil de Ferdinand. Elle compose le B -20-3-67 et après quelques minutes d'attente, finit par entendre la voix de son mari. Ferdinand lui confirme la déclaration de guerre, il lui enjoint de rester à la maison et de ne pas l'attendre. Adèle ne l'écoute pas et rejoint Thérèse, elle ne peut pas rester seule alors que l'Europe bascule vers l'inconnu. Les deux femmes, les mains liées, sont inquiètes. Thérèse apprend à Adèle que les deux frères se rendent ensemble au café Central. De chez elles, elles entendent le brouhaha qui gonfle dans les rues. La clameur semble se rapprocher de minute en minute. Les sœurs se précipitent à la fenêtre, se penchent et aperçoivent cette foule qui se forme, drapeau à la main, comme pour une fête nationale. Des gens chantent quand d'autres applaudissent. Les cafés s'emplissent d'hommes en verve. Chacun y va de son commentaire, heureux de «combattre ces Serbes qui ne méritent que ça».

La gouvernante de Thérèse, Inge, vient à son tour.

– Madame, les enfants vous demandent. Ils veulent savoir s'ils peuvent participer à la fête.

Adèle et Thérèse se regardent l'une et l'autre avec le même air interrogateur. Que dire aux enfants ? Une guerre peut-elle être une fête ?

Le lendemain, Adèle ne supporte plus d'être tenue à l'écart de cette agitation. Elle envoie Franz lui acheter la presse du matin, elle pourra ainsi disposer d'éléments précis pour alimenter la discussion lorsque Ferdinand rentrera. Elle n'est pas comme ces femmes qui se bouchent les oreilles dès qu'il est question de politique. Au contraire, elle se passionne pour la marche du monde, s'enflamme pour les idées et l'émancipation. Elle revendique ses propres opinions.

Le chauffeur doit se frayer un chemin dans la foule. La ville entière est descendue dans les rues. Les vendeurs de journaux affluent eux aussi de tous côtés, la voix puissante :

– Lisez le manifeste de l'empereur !

Franz fait de son mieux pour rapporter les trois journaux qu'il a achetés pour madame. Adèle se précipite à sa rencontre et s'empare de la presse du jour, qu'il a à peine le temps de lui tendre. Toute la presse fait sa une sur le manifeste de François-Joseph : « À mes peuples ». Un texte que l'empereur a rédigé et signé dans sa villa impériale d'Ischl, son paradis sur terre. Le vieil homme justifie sa déclaration de guerre. Il n'imagine pas à ce moment-là que le foyer contenu en Autriche-Hongrie et en Serbie deviendra un brasier géant étendu à toute l'Europe. Adèle est seule dans son boudoir, mais elle lit le manifeste à voix haute : « ... Les agissements d'un adversaire plein de haine m'obligent, pour défendre l'honneur de ma monarchie, pour protéger son autorité et sa puissance, pour garantir sa position, à prendre en main le glaive, après de longues années de paix... » Elle le lit une seconde fois, à voix basse.

Est-ce parce qu'Adèle est une irrémédiable pessimiste depuis l'accumulation de ses drames personnels qu'elle prévient le soir même Ferdinand que cette guerre sera bien plus meurtrière qu'on ne le dit ? Les hommes pensent toujours que demain sera meilleur et qu'après toute crise l'équilibre antérieur se reformera. Les femmes, parce qu'elles enfantent, sont plus inquiètes. Donner la vie, c'est en éprouver la fragilité. Marquée par tant de deuils, Adèle sait que le pire est possible. Elle pressent que ce conflit terminera mal pour l'Empire.
– Vous vous trompez ma chérie. Nous gagnerons et vite. Dans moins de deux mois, ce sera une histoire réglée. Les généraux prévoient l'écrasement de l'ennemi en six semaines. Tout le monde se réjouit, même le peuple.
– Je ne partage pas cet enthousiasme patriotique, quelque chose me fait peur. Je ne saurais dire quoi exactement.

– C'est bien normal. Les guerres ne concernent pas les femmes.

Voilà, il recommence. Quand son mari replace le débat sur la différenciation hommes, femmes, Adèle clôt la conversation. En quinze années de mariage, elle a appris à ne plus perdre d'énergie face à Ferdinand qui reste décidément bloqué sur les usages du siècle dernier.

Le 31 juillet, Adèle se rue encore sur la presse. Chaque jour, elle fait acheter deux éditions et parfois trois par jour. L'Allemagne a envoyé un double ultimatum à la France et à la Russie. Deux jours plus tard, elle envahit le Luxembourg, le 3 août elle déclare la guerre à la France. L'irréparable est commis.

C'est non. Adèle refuse de partir au château de Jungfer-Brezan.

– Qu'irions-nous faire sur les routes alors que les hommes sont envoyés dans cette boucherie. Et vous voudriez que nous allions nous prélasser pendant ce temps?

– Me reprochez-vous de ne pas être mobilisé? Je suis trop vieux. C'est assez douloureux pour moi de ne pas me battre pour l'Empire.

Adèle ne s'imagine pas s'éloigner de Vienne ni aller se mettre à l'abri. Elle veut voir, sentir la situation, la vivre, y compris la subir.

Regarder partir les premiers soldats, voilà ce qu'elle compte faire, comme tous les Viennois. Dès la première mobilisation, la population se serre sur leur passage pour les saluer, les encourager et leur offrir des fleurs qu'ils mettent à la boutonnière ou au bout de leur fusil. Ils reviendront vite, cela ne fait aucun doute. L'Autriche-Hongrie n'est-elle pas l'une des plus grandes puissances militaires d'Europe ?

La joie des soldats tranche avec l'inquiétude des femmes qui voient partir leurs fils, mari et frères. Chaque jour, Adèle attend avec plus d'impatience encore les quotidiens. Le désir de vengeance est immense. Lorsqu'elle lit cette déclaration de son ami Freud, elle en mesure la puissance : « Toute ma libido est offerte au service de l'Autriche-Hongrie. » L'écrivain Thomas Mann parle lui de « purification nécessaire » ; seul Stefan Zweig, réputé pacifiste, redoute les effets terribles de cette guerre qui le coupe de ses amis français et belges. Au moins lui, se dit-elle, comprend que nous courons à la catastrophe.

Pour se rassurer, Adèle aimerait croire que cette guerre ne durera pas plus de six semaines, comme l'a dit Ferdinand. Il n'est pas le seul. C'est ce qu'ils affirment tous, aussi bien du côté prussien que du côté français. Ça ira vite, personne n'a envie d'une guerre qui s'enliserait.

Il fait très chaud en ce mois d'août à Vienne. Cette température étouffante provoque chez Adèle de nouvelles migraines. Dix fois, elle fait ouvrir les hautes fenêtres avant de les faire refermer. Elle espère un courant d'air qui la rafraîchirait, mais c'est un filet tiède qui s'engouffre dans la pièce. Elle suffoque mais ne réduit pas sa consommation de cigarettes. Au contraire, depuis le début de la guerre, Adèle sort son élégant fume-cigarette deux fois plus souvent qu'auparavant. Quand elle ne le porte pas à ses lèvres, elle le fait rouler nerveusement entre ses doigts. Parfois, elle se met, lascive, à la fenêtre pour fumer tout en observant les mouvements de rue. Elle se dit qu'elle aurait peut-être dû accepter de partir à Jungfer-Brezan.

Klimt s'est réfugié à Attersee avec Emilie Flöge. Elle l'a brièvement eu au téléphone avant son départ mais depuis, elle n'a plus de nouvelle. À leur liaison a succédé une sorte d'amitié respectueuse. Vienne est un village, ils se sont croisés plus rapidement qu'elle ne l'aurait voulu. D'abord à l'opéra, puis au théâtre et dans des dîners. Il a fallu jouer un rôle face à lui, devant les autres. Puis les événements ont achevé de normaliser leur relation.

Plus le monde s'agite et plus Gustav doit s'en éloigner, il a besoin de quiétude. Il n'est pas aussi belliqueux que les intellectuels viennois qui se réjouissent publiquement. Il a décidé de cesser la lecture des journaux jusqu'à son retour. Ensuite, il verra.

À la mi-septembre, alors que les feuilles de marronniers se teintent d'ocre et d'or, Klimt prévient Adèle qu'il est rentré. Il lui propose de la retrouver le lendemain après-midi au café Central. L'absence des hommes, partis pour la plupart sur le front, a permis aux femmes de s'introduire plus aisément dans ces lieux de rencontres et de discussions. La guerre que l'on croyait voir se terminer en cette rentrée alimente toutes les conversations. Grâce aux dix minutes de retard tolérées pour les dames, Adèle n'arrive pas la première. Gustav l'attend à une table située bien au fond. Il a cet air tourmenté qui imprime son visage quand il est sombre. Ses traits se sont un peu affaissés. Il a forci. Il demande à Adèle, d'une voix étonnamment sourde, comment elle va et ce qu'elle veut boire.

– Juste un thé noir, merci.

– Ils ont finalement enrôlé Egon Schiele. Le malheureux qui avait d'abord été recalé se retrouve à creuser des tranchées alors qu'il ne devrait pas lâcher ses pinceaux. C'est un crime, un crime contre l'art. Un talent pareil ne devrait pas être empêché de peindre, ne serait-ce qu'une minute. Il me surpasse déjà, je suis inquiet pour lui.

Adèle sait combien le jeune peintre compte pour Klimt.

– Il rentrera bientôt.

– Je n'y crois pas. J'ai beau me couper des nouvelles de cette maudite guerre, regardez le carnage des premières semaines, nous avons lamentablement échoué sur le front serbe et sur le front russe! Je ne sais pas où tout cela va nous mener.

Sans s'en rendre compte Klimt a élevé la voix, de sorte que les tables voisines se sont retournées vers eux. Présager le pire alimente les soupçons sur un éventuel manque de patriotisme aux yeux des Autrichiens; le défaitisme est un crime. Adèle ne voudrait pas que Klimt s'attire des ennuis supplémentaires.

– Quand viendrez-vous me voir dans mon atelier? Je voudrais vous montrer ma prochaine toile, un grand format, *La Mort et la Vie*, j'aimerais avoir votre avis.

– Vous savez que je suis une inconditionnelle de votre peinture, mon avis ne compte pas. Je ne parviens pas à être critique.

– Votre amitié et votre soutien m'importent. Je sais que je ne peux plus compter sur votre amour.

– Non, n'en parlons plus Gustav, nous ne sommes plus fâchés, c'est déjà beaucoup. Nous avons changé vous et moi. C'est une chance. Nous ne pouvons plus nous mentir. Dans les temps actuels, où chacun essaie d'être plus aveugle que son voisin, c'est un privilège. Comment s'est passé votre séjour en Haute-Autriche?

– J'ai peint trois paysages, je vous les montrerai aussi.

L'année suivante ne réserve pas davantage d'éclaircies dans ce ciel chargé d'orages de fer. Klimt a perdu sa mère. Il a aussitôt prévenu Adèle, comme il l'aurait fait avec une amie de longue date. Mais n'est-ce pas ce qu'elle est devenue : une étrange amie ? À voir l'infinie tristesse de Gustav, Adèle comprend qu'il n'y a pas d'âge pour se sentir orphelin. Pour cet homme de cinquante-trois ans qui vivait encore chez sa mère avec ses sœurs quand il ne reste pas dans son atelier, la perte est immense. Depuis la disparition consécutive du père et du frère, vingt-trois ans plus tôt, le clan Klimt avait encore resserré les liens, résolument indéfectibles.

Adèle tente de trouver les mots les plus réconfortants qui soient, mais Klimt est abattu. Jamais Adèle ne l'avait vu dans cet état. Emilie Flöge et sa sœur viennent d'arriver. Il n'y a plus d'animosité entre les femmes mais Adèle sent sa présence déplacée, comme illégitime. Cependant a-t-elle déjà su où se trouvait sa place ? Elle prend les mains du peintre, plante son regard dans le sien. Il baisse immédiatement les yeux. Il n'a plus aucun courage, pas même celui d'affronter la bonté.

– Gustav, faites-moi appeler si vous avez besoin de moi. Je serai là. Vous pouvez compter sur moi, vous le savez.

Passées les premières semaines de deuil, Klimt revêt à nouveau sa blouse et reprend ses pinceaux. Sa peinture devient plus sombre. Il ne touche plus à ces couleurs vives et joyeuses qu'il avait utilisées pour le second portrait d'Adèle. Le gris et le noir dominent. Même les tracés sont différents, ils ont perdu de leur souplesse et gagné en gravité. Elle est décidément bien loin, la période dorée. Cette époque où les femmes emplissaient sa vie. Tout cela lui semble si éloigné. Il est si fatigué. L'inspiration n'est plus un torrent joyeux et cristallin mais une source souterraine, un filet d'eau mêlée de boue.

20. Aussi bien que possible

La guerre n'a pas altéré la bonne marche des affaires de Ferdinand. Bien au contraire, il a augmenté son empire, rachetant une fabrique là, une manufacture dans une autre contrée. L'approvisionnement est, malgré tout, plus difficile et les réceptions se sont raréfiées.

Adèle ne voit guère Gustav Klimt ces derniers temps, bien qu'il ne quitte plus Vienne. Il ne voyage plus, le conflit mondial a mis un coup d'arrêt à ses expositions à travers l'Europe. Il se contente d'honorer les commandes de portraits. Adèle se demande quand prendra fin cette vie si morne. Chaque jour, elle s'efforce d'aller marcher au Volksgarten souvent seule. Hannah la suit quelques mètres plus loin. Thérèse, qui parfois venait l'accompagner, attend un nouveau bébé, elle n'est plus qu'à quelques jours de son accouchement. Adèle s'est fait une raison, il n'y aura pas d'enfant dans son foyer. Mais ses neveux sont pour elle une source infinie de joie.

La température est bien en dessous de zéro, il fait un froid à glacer les sangs. Comme tous les Autrichiens, Adèle a l'habitude mais elle a préféré renoncer à sa promenade quotidienne. Hannah vient de lui apporter la liste des menus de la semaine à valider lorsque la sonnerie du téléphone retentit ; c'est son beau-frère Gustav qui lui annonce que le travail a commencé. Thédy, dont les contractions sont maintenant régulières et intenses, ne va pas tarder à mettre au monde un nouveau petit.
Adèle fait appeler Franz, elle veut se rendre immédiatement chez sa sœur pour la soutenir. Elle veut être la première à découvrir ce bébé. À peine une heure plus tard, elle arrive, presque essoufflée de s'être tant précipitée.
– Calmez-vous, Adèle, vous paraissez presque plus nerveuse que votre sœur, lui dit Gustav en la prenant chaleureusement dans ses bras.
– Je le suis oui ! Je veux voir ma sœur sans attendre.

Adèle, en entendant les cris de Thérèse, se précipite dans la chambre sans demander d'autorisation. Elle voit le visage de Thérèse déformé par la douleur. Deux sages-femmes s'affairent autour d'elle avec leur linge bouilli et leurs paroles d'encouragement.

« Mon Dieu, en aurais-je été capable une nouvelle fois ? », se demande Adèle.

Elle saisit la main de Thédy que cette dernière presse autant qu'il est possible. Deux heures plus tard, Thérèse tient contre elle une toute petite fille aux traits si fins qu'elle ressemble à l'une de ces poupées vendues dans les belles boutiques de Vienne.

Thérèse regarde Adèle dont l'émotion transparaît sous son masque. Malgré les quatre enfants précédents, aucun n'avait autant bouleversé Adèle.

– Elle te ressemble tellement mon Adèle, c'est ton portrait.

Jamais Adèle n'a ressenti la moindre jalousie envers sa sœur, et si, à cet instant, les larmes coulent, ce sont celles d'un bonheur partagé. Adèle prend la petite dans ses bras, l'observe avec une infinie tendresse. Thérèse surprend sa sœur dans son geste maternel inné. Dans ce moment, leurs sentiments opèrent à contretemps. Thérèse est accablée par le destin contrarié de sa jeune sœur, tandis qu'Adèle se réjouit du nouveau bonheur de sa Thédy.

– Tu viendras m'aider à m'occuper de Maria ? J'ai déjà tant à faire avec les garçons et Luise ! demande Thérèse.

Adèle n'est pas dupe, Thérèse dispose de suffisamment de personnel pour ne pas être débordée. Mais elle accepte avec entrain. Elle a glissé son doigt dans la minuscule main de l'enfant qui s'y accroche. À moins que ce ne soit Adèle qui s'agrippe à cette petite.

Adèle ne laisse pas s'écouler deux jours sans aller rendre visite à sa sœur et voir la petite Maria grandir. Elle se réjouit d'avance des deux mois qu'ils passeront tous ensemble à Jungfer-Brezan. L'ambiance lourde qui s'est abattue sur Vienne commence à peser, elle a hâte de fuir. En ce mois de juin, l'armée russe a écrasé la puissance autrichienne et n'était pas loin de franchir les Carpates et d'envahir une partie de la Hongrie. Ferdinand l'a rassurée, le danger est écarté, mais sept cent cinquante mille Autrichiens ont péri au cours des derniers combats. Elle ne veut plus entendre le bruit des canons. Il est temps de se replier sur sa famille, de chérir Maria et de regarder les garçons, suivis de Luise, courir à travers champs. Leur insouciance est le meilleur antidote quand la mort rôde partout autour d'elle.

L'été est comme suspendu. Ils vivent quasiment en autarcie des produits de la chasse et de la pêche. Les garçons dégustent leurs premiers trophées, à la grande joie de Ferdinand, heureux de les initier à la chasse. Le potager fournit plus qu'il n'en faut pour une famille nombreuse. On s'est gavé de framboises tout l'été. Adèle a confectionné elle-même, avec les cuisinières, des confitures tant la récolte de fruits était abondante. La nature se joue de la guerre ; elle exulte sans se soucier des drames.

Après huit semaines, retour à Vienne. Il faut reprendre la vie d'avant et se séparer de Maria. Pour Adèle, le manque est cruel. Chaque jour apporte son lot de mauvaises nouvelles liées aux offensives. La Roumanie a rejoint le camp ennemi. Dès qu'elle retrouve Ferdinand, Adèle veut connaître son sentiment ; quand cette tragédie cessera-t-elle ? Il ne sait plus, l'industriel a perdu les certitudes qui l'habitaient au début du conflit. Ses affaires tournent aussi bien que possible. La pénurie de sucre a fait flamber les prix, elle ne doit pas s'inquiéter.

Adèle ne pense pas à leur fortune, mais à ses neveux et à Luise et Maria.

Quel sera leur avenir alors que tout se disloque autour d'eux ?

L'année tire à sa fin, lentement. Le froid s'installe, emprisonne Vienne dans une grisaille lugubre. Chaque matin, Adèle se demande ce qu'il peut arriver et, en ce 21 novembre, c'est la mort de l'empereur François-Joseph qui est annoncée. À quatre-vingt-six ans, il n'a pas résisté à la congestion pulmonaire qui l'a emporté. Adèle est née il y a trente-quatre ans, l'empereur régnait depuis déjà… Trente-quatre ans ! Les Habsbourg ont toujours fait partie de la vie des Viennois. Elle ne se pressera pas pour apercevoir les obsèques comme des milliers d'Autrichiens. Elle n'attend rien non plus de son successeur, l'archiduc Charles, son petit-neveu. Ce dont elle rêve, au plus profond d'elle-même, c'est de la République. De sortir de ce vieux monde.

21. Rebekka

Est-ce l'arrivée de la petite Maria qui a décidé les deux sœurs à engager les démarches auprès de l'administration viennoise ? Elles ont ce projet depuis si longtemps. « Bloch-Bauer », l'une comme l'autre répètent les deux noms accolés avec une gourmandise enfantine. Il a fallu convaincre Gustav et Ferdinand, les deux frères qu'elles ont épousés à quelques années d'intervalle. Ils ont d'abord trouvé l'idée baroque, Gustav surtout, peu habitué à des excentricités de la part de Thérèse. Ferdinand, quant à lui, a pensé qu'il s'agissait d'une nouvelle lubie de sa femme qui lui passerait dans quelque temps. Il suffisait d'attendre. Il était convaincu qu'Adèle défendait une idée féministe affirmant l'identité des épouses pour échapper à l'emprise de leur mari.

Mais les deux femmes ont insisté tant et tant que Ferdinand a compris après la mort des trois fils Bauer que les sœurs, en voulant sauver le nom, souhaitaient avant tout honorer la mémoire des hommes disparus de la famille. Gustav s'est occupé de formuler la demande, si peu usuelle, auprès des autorités. Adèle et Thérèse ont dû venir expliquer le sens de leur démarche devant un fonctionnaire renfrogné. Il a fallu des semaines de relance et d'insistance pour que le dossier « Bloch-Bauer » suive son cours. L'entregent et les relations des frères ont fait le reste. Les deux couples comme les enfants de Thérèse et Gustav s'appelleraient dorénavant « Bloch-Bauer ».

La fête de célébration est organisée chez Thérèse, les enfants pourront y participer. Au moment de porter un toast, Adèle a disparu. Thérèse la retrouve devant le berceau de Maria qui dort paisiblement. Elle croit qu'Adèle songe à ses enfants disparus. Mais elle se méprend : Adèle envie, en cet instant, la plénitude de la petite fille, ce bonheur qui consiste à dormir sans cauchemar, à échapper à la réalité crépusculaire.

Adèle est à son écritoire, elle regarde ses nouvelles cartes portant son double nom, cela la ravit. Depuis quelque temps, elle est très préoccupée par ce qu'il se passe à Vienne. Plus de cent mille réfugiés juifs de l'Est ont afflué sur la ville et leur condition est pire encore que celle des indigents à qui elle rendait visite avant la guerre. Pour la plupart, ils viennent de Bohême-Moravie ou de Hongrie. Hier, ils fuyaient la misère, désormais ce sont les combats et la répression. Lorsque Adèle croise ces familles en colonne, aux enfants vêtus de haillons, les larmes lui montent aux yeux. Elle ne supporte pas de rester impuissante, comme elle n'accepte plus ces conversations de salon et l'égoïsme de ceux qui dorment au chaud.

Entendre certains de ses amis déclarer qu'ils « ne se sentent plus chez eux » lui provoque des haut-le-cœur. Elle évite dorénavant les discussions à ce sujet avec Ferdinand. « Ils devraient être avec nos hommes, à combattre pour défendre l'Empire », lui a rétorqué Ferdinand lors de leur dernière discussion sur la présence de ces migrants errant dans les rues de Vienne.

Avec Julius Tandler, l'homme au front bombé et au regard perçant, dominateur, Adèle se rend dans l'un de ces camps, installé à l'orée de la ville, où l'on cantonne par milliers ces réfugiés. Quelques baraquements ont été montés à la hâte pour abriter les plus fragiles, les conditions de vie sont insalubres. Certains hommes tentent une toilette, torse nu alors que le thermomètre affiche moins dix degrés. Adèle ne sait plus où poser son regard, chaque scène de vie lui fait honte. Le déshonneur frappe les gens comme elle, qui vivent dans l'opulence alors que d'autres n'ont rien. Des mains se tendent au-dessus des brasiers pour bénéficier d'un peu de chaleur, juste un peu. Dans quelques abris de planches et de cartons, des familles se serrent en attendant. Mais en attendant quoi? Que peuvent-ils espérer là, tous? Cette guerre s'éternise.

Elle aperçoit un groupe d'hommes qui s'adonnent à la prière ; certains portent le châle rituel. De loin, elle voit leurs lèvres remuer : quelle prière sont-ils en train de réciter? Elle connaît si peu cette religion, pourtant sienne. Elle n'avait pas voulu que le kaddish soit prononcé à la mort de Fritz. Aucune prière n'aurait pu lui ramener son enfant. Aucune prière n'arrête le malheur.

Elle demande à se rendre dans le quartier des femmes. Elle passe devant une épicerie kasher dont les étals improvisés sont quasiment vides. Une fois arrivée dans le baraquement réservé, elle croise le regard d'une réfugiée, allongée sur deux planches, sous une couverture de misère. Son mari a été tué par les Russes ; Rebekka, c'est ainsi qu'elle se nomme, est arrivée avec ses deux jeunes enfants ; elle attend le troisième. Elle paraît si jeune et si faible. Adèle vient s'asseoir près d'elle, elle ne sait pas encore quels mots de réconfort lui adresser. La jeune femme prend la parole avant elle, dans une longue plainte.
– Revenez chercher mon enfant, il est à vous, supplie-t-elle. Je ne pourrai pas l'élever ici, sans rien, dans cette misère et

cette saleté, il mourra. Nous mourrons tous. Revenez le chercher quand il sera né, je vous en supplie. Je suis à bout de force.

Adèle lui prend les mains, croise le regard de Julius Tandler. Comment faire face à tant de désarroi? Elle reprend sa respiration pour endiguer le flot de tristesse qui la submerge:
– Vous garderez votre enfant. Ne perdez pas espoir. Nous trouverons un moyen de vous aider.
Adèle fouille ses poches, sort cinquante couronnes, qu'elle glisse sous la couverture de l'inconnue.
– Voilà déjà pour vous nourrir, vous et vos enfants, quelques jours. Je vous ferai parvenir d'autres vivres.

Les associations juives se pressent autour de ces réfugiés pour leur porter secours. «Mais comment croire encore à un au-delà lorsque l'on est confronté à tant de dénuement ici-bas?», songe Adèle. Son cœur se serre, elle est si désarmée face à l'immensité des besoins. La phrase de Rebekka – «Venez chercher mon enfant» – résonne en Adèle. Elle pourrait élever ce petit comme s'il était le sien, elle lui donnerait une chance dans la vie. Le monde tourne si mal, Adèle aurait les moyens financiers d'élever une tribu d'enfants… Non, elle n'a pas le droit. Comment oserait-elle priver cette femme de son enfant? Comment pourrait-elle être heureuse avec ce vol sur la conscience? Profiter de la détresse de cette femme reviendrait à appeler un nouveau malheur. Elle l'aidera, elle fera au mieux.

Elle repense à la toile de Klimt qu'il lui avait montrée quelques années plus tôt, cette famille de migrants, une mère et ses deux jeunes enfants endormis, abrités sous des couvertures, exactement comme Rebekka. Le même visage anguleux. Comme c'est troublant. Klimt est décidément un visionnaire, un sorcier, capable de prophétie.

Adèle repart avec son ami Julius, elle l'interroge pour savoir comment agir.

– Le mieux serait de pouvoir la mettre à l'abri, avec ses enfants, le temps de la naissance et des semaines qui suivront. En espérant qu'elle puisse rentrer chez elle, à la fin de cette maudite guerre.

Adèle fera chercher un petit appartement, une seule pièce suffirait à loger cette famille bien au chaud. Une pénurie de logements touche Vienne depuis plusieurs mois, mais elle trouvera. Le lendemain, le surlendemain et les jours suivants, elle déploie une énergie jamais égalée. Sauver Rebekka et ses enfants est devenu son obsession. Adèle a mandaté son notaire et fait jouer ses relations. Huit jours à peine et la famille hagarde s'installe dans le 13ᵉ arrondissement, dans un logement minuscule situé au fond d'une cour.

Adèle a su tout gérer, comme si le fil de vie était relié à celui de Rebekka. Elle n'a pas dormi pendant ces sept nuits, redoutant un drame. Et si elle arrivait trop tard?

Julius Tandler la félicite, mais la met en garde, comme Thérèse l'avait fait en d'autres temps. Adèle doit mettre de côté ses sentiments personnels et prendre de la distance. Il le lui fait promettre. Adèle s'engage à faire parvenir des vivres et des soins, mais rien de plus. Elle s'autorise à venir parfois prendre des nouvelles, mais en espaçant soigneusement ses visites.

Deux mois plus tard, quand elle apprend que Rebekka a donné naissance à un fils prénommé Roman, Adèle sent que l'heure est venue. Elle hésite longuement avant de s'en défaire, mais elle rassemble le trousseau de naissance de Fritz, y compris son premier habit de nouveau-né rangé dans sa commode. Celui qu'elle caressait à chaque anniversaire de sa mort. Elle apporte ces effets à Rebekka dans une petite valise de cuir. Adèle passe le relais de la vie et signifie la fin de ce deuil interminable. Elle ne sera jamais mère, c'est ainsi. Elle est en paix, sauf sur un point, que personne, personne ne lui dise que c'est Dieu qui l'a décidé. Il n'y a aucun Dieu sur cette terre.

22. Je ne suis plus juive

J anvier 1918. Déjà quatre ans que des milliers de soldats meurent au front comme des chiens.

Le 11 du mois, Adèle fait partie des premières à être prévenues par Emilie Flöge. Victime d'une attaque cérébrale, Gustav Klimt a été transporté en urgence au sanatorium. Il est paralysé sur un côté et le pronostic est réservé. Passé le premier choc, Adèle, le combiné sur une oreille, la main sur l'autre, presse de questions Emilie. Sa voix et sa main tremblent.

– Comment est-ce arrivé? demande Adèle pour la deuxième fois.

Emilie Flöge lui explique que Gustav a ressenti une douleur au bras droit en s'habillant puis s'est écroulé à même le sol. En l'entendant tomber, Hermine, sa gouvernante, a accouru. Il était à terre, inconscient. Elle a appelé les secours. Pendant vingt minutes, la gouvernante a tenté de le réveiller, en vain.

Secouée, Emilie ne retient plus ses larmes. Adèle et elle ont fini par accepter cette amitié particulière, pleine de silences et de secrets, mais après tout, les mots que l'on décide de ne pas prononcer lient autant que les confidences.

Adèle demande à Emilie si elle peut rendre visite au peintre à l'hôpital. Elle ne restera pas longtemps, simplement pour lui témoigner son amitié, l'encourager à revenir à la vie. Emilie promet de la rappeler dès qu'elle aura pu parler aux médecins.

Adèle repose le combiné pour le décrocher aussitôt. Elle compose le numéro de Ferdinand. La réaction de son mari la foudroie.

– C'est une terrible nouvelle, nous avons bien fait de lui acheter ses tableaux avant qu'il ne disparaisse.

Ainsi leur amour n'aurait été qu'une affaire d'argent? Pour Ferdinand, l'or du tableau n'est pas la couleur de l'émotion, mais un patrimoine comme un autre.

Une passion comme celle qu'Adèle a partagée avec Gustav était sans doute vouée à flamber et à mourir. Mais elle ne peut pas imaginer que ce soit la fin pour celui qu'elle a aimé. Lui revient alors en mémoire, comme autant de cahiers ouverts, les étreintes de l'après-midi qui venaient ponctuer leurs séances de pose.

Elle se rappelle avoir assisté à une pièce, *On ne badine pas avec l'amour*, de ce Français, Musset, qui avait partagé avec Chopin un grand amour pour la même femme. Elle avait cherché ensuite le texte de la pièce, juste pour un passage qui l'avait touché en plein cœur. Elle le retrouve dans son secrétaire :

> *Tous les hommes sont menteurs, inconstants, faux, bavards, hypocrites, orgueilleux ou lâches, méprisables et sensuels ; toutes les femmes sont perfides, artificieuses, vaniteuses, curieuses et dépravées ; le monde n'est qu'un égout sans fond où les phoques les plus informes rampent et se tordent sur des montagnes de fange ; mais il y a au monde une chose sainte et sublime, c'est l'union de deux de ces êtres si imparfaits et si affreux. On est souvent trompé en amour, souvent blessé et souvent malheureux ; mais on aime, et quand on est sur le bord de sa tombe, on se retourne pour regarder en arrière et on se dit : « J'ai souffert souvent, je me suis trompé quelquefois, mais j'ai aimé. C'est moi qui ai vécu, et non pas un être factice créé par mon orgueil et mon ennui. »*

Gustav Klimt a été là lorsque la vie était si cruelle pour elle. Sans lui, elle n'aurait pas eu la force de continuer. Il lui a fait découvrir le plaisir, le vrai plaisir. Il lui a fait aimer la vie. Les jours suivants, Klimt récupère progressivement de sa paralysie partielle. On l'installe sur un lit à eau pour lui épargner l'apparition d'escarres. Bientôt les visites seront autorisées, lui a promis Emilie Flöge.

Adèle a conservé cette habitude de touiller son thé qu'elle continue pourtant à boire sans sucre. Elle fait ce geste distraitement, plongée dans la lecture de son journal. Elle s'arrête soudain de respirer lorsqu'elle tombe sur cette brève. « L'état du peintre Gustav Klimt s'est dégradé. Une infection des poumons s'est ajoutée à son état. Il a été transféré à l'hôpital général. » La nouvelle la secoue tant qu'elle en renverse sa tasse. Cette fois, personne ne l'a prévenue. Elle se précipite sur le téléphone, appelle à l'atelier d'Emilie Flöge où une secrétaire lui apprend que c'est fini, Gustav Klimt s'est éteint le 6 février 1918. Elle n'a pas pu lui faire ses adieux. Que lui reste-t-il désormais?

Par un télégramme, Adèle adresse ses condoléances à Emilie Flöge. Le lendemain, avec Ferdinand, elle se recueille devant la dépouille. Elle aurait préféré être seule pour cet adieu. Elle avait encore tant de choses à lui dire. Il n'est pas question de montrer son désarroi intime. En rentrant, Adèle s'attarde sur les journaux ; la nécrologie de Gustav attire son œil.

Ce que le spectateur remarquait en premier lieu et attribuait à Klimt, ce n'était pas lui, mais une quelconque autre chose à laquelle il était lié. Le Japon, la Chine, et même Byzance ainsi que l'ancien et le nouvel Orient. Le préraphaélisme italien et le nouvel art anglais. La peinture française décorative et merveilleuse d'un Moreau, la nouvelle mystique néerlandaise de la région de Khnopff, le tout entrecoupé de marchandises coloniales et de dieux. S'il puisait dans tout cela, il n'était toutefois rien moins qu'un éclectique. Il ne faisait que s'en nourrir, il le métamorphosait en Gustav Klimt.

Les journalistes ne savent-ils célébrer un génie autrement qu'en étalant leur culture ?

Elle ne lit rien sur l'homme, celui qui a créé la Sécession, l'affranchi des conventions, l'explorateur de toutes les formes, le visionnaire, l'écorché vif, l'amoureux, le dispendieux, le merveilleux égoïste.

Adèle se recueille devant les deux portraits. Ce n'est pas elle qu'elle voit sur ces toiles, mais lui, lui dans ses périodes de transes créatrices, lui dans sa blouse si particulière. Elle voit défiler les moments volés à ses côtés, ce qu'il lui a apporté de si précieux : l'amour. Elle réalise qu'en la capturant dans sa peinture, il lui a enseigné la liberté. Il peignait des paysages, mais c'est à elle qu'il a offert un horizon. Comme elle a grandi à ses côtés.

Très vite la rumeur se répand. Gustav Klimt serait mort de la syphilis. La première fois qu'une amie lui en a parlé, abasourdie, Adèle en a éprouvé une intense douleur physique. Elle a détourné la tête et fait digression à propos de la guerre. Avec davantage d'assurance, la seconde fois, elle a raconté s'être rendue à l'hôpital, en présence d'Emilie Flöge, où elle a entendu les médecins s'adresser à elle en parlant de sa congestion cérébrale.

Mais la vérité ne peut rien contre la rumeur qui salit.

À l'occasion d'un dîner chez les Muncher, elle manque de s'étouffer lorsqu'elle apprend de la bouche de l'un des convives que Klimt aurait, rien qu'à Vienne, plus de dix enfants illégitimes, déclenchant les ricanements de la tablée. Elle ne veut plus faire face à ces commérages. Elle ne supporte plus qu'on salisse sa mémoire devant elle et ne peut pas prendre sa défense sans se dévoiler. Elle préfère renoncer aux sorties, vivre à nouveau recluse. Après tout, elle est en deuil. Klimt le serait aussi s'il était toujours vivant, son protégé Egon Schiele vient de s'éteindre à son tour de la grippe espagnole, suivi par Koloman Moser. Quelle triste époque.

L'Autriche, totalement vaincue et encerclée par les troupes italiennes a signé l'armistice le 3 novembre. L'Empire s'est disloqué avec une rapidité confondante. Les peuples peuvent désormais disposer d'eux-mêmes et ils n'ont pas traîné. Des seize provinces, il n'en reste que sept.

Le 12 novembre, la République d'Autriche est proclamée, Charles Ier a abdiqué. Adèle a voulu être là, au milieu de la foule, rassemblée devant le Parlement. Il pleut, elle tient fermement son parapluie. Des hommes ont escaladé les statues en marbre de chevaux ainsi que la fontaine. Son ami Julius Tandler lui a proposé de venir avec lui, mais Adèle préfère être au milieu du peuple, comme si elle était elle-même une femme du peuple. Elle observe partout autour d'elle, regarde cette banderole « Vive la République socialiste ».

« J'aurai au moins vécu cela, de mon vivant », se dit-elle.

Elle est heureuse de ce renversement, de ce changement de monde.

Cette guerre n'aura pas été totalement inutile. Comment peut-elle penser cela, alors qu'autour d'elle elle voit des blessés tout juste rentrés du front ? L'un porte un bandeau sur l'œil, un autre, privé de sa jambe droite, s'appuie sur deux béquilles calées sous ses bras.

Mais l'ambiance est à la liesse dans Vienne « la rouge ».
Des hommes brandissent leur chapeau ou les envoient très
haut. Des enfants courent rechercher ceux que les pères ne
parviennent pas à rattraper. Adèle est transportée par cette
ferveur populaire.

Ferdinand ne partage pas sa joie, pour lui les conséquences
sur l'Empire sont dramatiques. La Tchécoslovaquie a
retrouvé son indépendance. Le traité n'est pas encore ratifié
mais avec la dislocation de l'Empire austro-hongrois, leur
situation s'apprête à changer aussi. Ils vont devoir choisir
entre deux patries.

– Adèle, nous allons prendre la nationalité tchécoslovaque.
Je ne peux devenir autrichien quand mes racines sont
là-bas. Je vous demande de me suivre dans ce choix. Nous
serons dorénavant domiciliés à Jungfer-Brezan.

– Nous quitterons Vienne ? s'enquiert aussitôt Adèle,
inquiète à l'idée de se passer des lumières de la ville, mais
surtout de sa sœur et des enfants.

– Non rassurez-vous, mais nous irons sans doute plus
souvent au château. Nous avons perdu la guerre, il y a des
conséquences, nous devons les assumer. Le climat devient
infect à Vienne. J'entends de plus en plus de discours
antisémites.

– Je ne suis plus juive, Ferdinand.

– Adèle, que vous ne pratiquiez pas, je le conçois, moi non plus. Mais vous êtes juive, autant que je le suis.

Adèle ne dit plus rien. Elle n'est plus juive, un point c'est tout. Elle ne sera pas non plus catholique ou protestante. Elle ne sera rien de tout cela. Mais tchécoslovaque, si Ferdinand y tient, oui elle le deviendra.

23. Étrangère à leur bonheur

Les démarches ont pris plusieurs mois. Adèle et Ferdinand Bloch-Bauer sont désormais tchécoslovaques. Adèle a appris par Julius Tandler que l'Autriche s'apprêtait à accorder le droit de vote aux femmes. Elle se souvient de ses conversations avec Ferdinand du temps des suffragettes, quand il était si réfractaire à l'autonomie des femmes. Quelle ironie! Elle aurait pu voter en Autriche, mais la voici tchèque!

Ferdinand continue d'aller de l'avant. Il veut sortir Adèle de son enfermement volontaire, comme si elle portait le deuil. Cela fait déjà quelque temps qu'il a envie de déménager. Le 4ᵉ arrondissement n'est pas ce qu'il y a de plus chic; il veut rejoindre le premier, comme son frère et Thérèse qui résident à Stubenbastei. Adèle et lui ont connu suffisamment de malheur à la Schwindgasse. Comment autant de calamités ont-elles pu s'abattre sur un seul foyer?

Ferdinand pourrait céder à l'abattement lui aussi quand il songe au passé, à ce qu'aurait pu être sa vie avec des enfants et un héritier à qui enseigner le secret des affaires. Mais il n'a pas le choix, il doit montrer l'exemple même s'il ne sait plus très bien à qui. Il a repéré un immeuble sur Elisabethstraße, juste à côté de ses bureaux. C'est là qu'il veut vivre à l'avenir, là qu'ils réussiront à faire le deuil de l'enfant. Qu'ils se construiront une nouvelle vie.

Adèle a accepté tout de suite, sans broncher. Le Burggarten ne sera qu'à cinq minutes de marche, et à quinze minutes du Volksgarten. Elle pourra surveiller l'éclosion des roses dans ces jardins fleuris, à deux pas du palais impérial, et s'asseoir sur l'une des chaises en fer forgé près du temple de Thésée. Elle ne pose aucune question et accepte de visiter dès le lendemain ce lieu qui a tellement plu à son mari. Le bâtiment de style néo-Renaissance est récent, il date de 1862. Cette nouveauté enchante Adèle. En arrivant pour la visite, elle n'a pas le temps de compter les fenêtres surmontées de corniche, Ferdinand la presse, heureux de lui montrer leur prochain havre. Il lui vante cet hôtel particulier de près de deux mille mètres carrés dans l'une des rues les plus prestigieuses de Vienne. Le porche voûté est suffisamment large et haut pour laisser passer une calèche comme une automobile. Adèle pourra disposer non seulement de sa chambre personnelle, mais aussi d'un appartement particulier.

– Mais Ferdinand, qu'allons-nous faire dans cet endroit si vaste ? s'affole Adèle.

– Vous verrez, nous y serons bien. Nous recevrons le Tout-Vienne. Et je serai à deux pas de mes bureaux, je pourrai vous rendre visite pour le déjeuner. Je prendrai soin de vous.

Adèle regarde cet homme qu'elle a épousé il y a tout juste vingt ans. Jamais il n'a semblé se lasser d'elle, jamais il n'a paru l'aimer moins qu'à leurs débuts. Elle voit son enthousiasme débordant qui l'a toujours entraînée quand elle ne croyait plus en la vie.

Comme dans le château de Jungfer-Brezan, Adèle se perd dans la multitude de pièces.

– Ferdinand, j'ai une faveur à vous demander. Je voudrais que nous achetions à Emilie Flöge un des tableaux de Gustav Klimt dont elle a hérité après sa mort. Elle a besoin que nous l'aidions.

– Bien sûr, savez-vous lequel ?

– Oui, un paysage proche d'Attersee. Il vous plaira, j'en suis certaine.

Adèle ne fournit pas d'explication. Ferdinand n'en demande pas. Elle veut simplement secourir l'ancienne compagne de son amour. Comme si cette réparation lui procurait un apaisement.

Mais son plus grand bonheur, c'est l'arrivée de l'autre famille Bloch-Bauer à l'étage inférieur. À l'idée de cette cohabitation, Adèle est folle de joie. Trois mois plus tard, Elisabethstraße accueille les deux ménages. Chacun est chez soi, mais si proche l'un de l'autre.

Adèle raffole de sa nièce Maria. Celle qui a hérité de ses traits, de son allure altière. L'enfant, qui parle étonnamment bien du haut de ses deux ans, vient régulièrement rendre visite à tante Adèle. Elle aime la regarder se poudrer devant sa coiffeuse. Elle est si belle, Adèle ! Si elle en avait le droit, elle toucherait à ses beaux flacons en cristal doré qui recouvrent la tablette. Parfois, Adèle la prend sur ses genoux et coiffe délicatement les boucles mi-longues et châtains de la fillette. Elle ouvre l'un de ces parfums venus de Paris et lui fait humer la flagrance. Maria dit « encore ». Et Adèle cède à la pression de l'enfant avant de la renvoyer avec douceur dans l'appartement voisin.

– Allons petit chat, il est temps de retrouver votre maman.

Elle lui dépose un baiser sur le front, prend une dernière fois cette main si charmante dans la sienne et la lâche lorsque la petite est sur le seuil de la porte, près de sa nourrice. Adèle lui adresse encore un signe.

Ces instants de grâce passés avec Maria réveillent parfois en elle la douleur qui ne fait que sommeiller. À quoi ressemblerait son enfant? Et les autres? Une profonde mélancolie s'empare à nouveau d'elle, alors qu'elle se croyait relevée. Mais de ce mal-là, on ne guérit jamais. De cette absence, il ne reste que la présence de la douleur.

Adèle subit cette culpabilité qui l'étreint le soir au coucher et la réveille dès l'aube. Elle n'a pas su donner la vie, elle n'a pas été digne d'être une épouse, à peine d'être une femme, le temps d'un amour fané. Les notions de culpabilité et d'inconscient la fascinent. Si elle pouvait, elle ferait elle aussi une analyse avec Freud, mais elle est trop proche de lui et il ne prend plus de nouveaux patients.

Elle reporte son intérêt sur les travaux de Tandler. Il dirige une commission d'enquête sur les blessés volontaires de guerre et sur ceux qui ont fui les combats. Faut-il les juger? Il a nommé Freud comme expert. Pour le psychanalyste, ces hommes ne sont pas des embusqués, leur névrose est avant tout une fuite dans la maladie, ils ont agi avec des «motivations inconscientes».

Pour soigner ses états d'âme, Adèle parcourt Vienne, où la pauvreté prolifère comme une lèpre. La pénurie s'est installée dans tous les domaines. Il n'y a plus de logements quand elle vit dans un palais. Il n'y a plus de vêtements, ses armoires débordent. Il n'y a plus de chauffage, elle ouvre les fenêtres pour respirer de l'air frais. Il n'y a plus de nourriture et ses cuisines regorgent des mets les plus raffinés. Les commerçants n'ont plus rien à vendre. Ferdinand peste contre la grève générale qui paralyse la ville.

Adèle comprend la colère des Autrichiens qui se tournent vers le marxisme. Son ami Julius Tandler lui a fait découvrir les idées d'Otto Bauer, un homonyme. La sœur de ce dernier, Ida, qu'Adèle a déjà rencontrée, n'est autre que le « cas Dora » étudié par Freud. Otto Bauer, à la tête du Parti ouvrier, promeut les idées de révolution. Vienne est devenue ville rouge. Adèle achète désormais les journaux proches des révolutionnaires. Elle s'est procuré son livre, *La Marche au socialisme*, qu'elle a lu attentivement. Elle suit ce qui se passe ailleurs dans le monde. Tandler lui a fait passer le discours de Léon Blum qu'il a prononcé au congrès de la SFIO. Elle a été impressionnée par les mots de cet homme qui semble si bien comprendre les aspirations du peuple. Elle ne partage pas l'idée de recours à la violence que prône Otto Bauer, mais l'idée de dictature du prolétariat, pourquoi pas ; ce Blum si cultivé en est partisan. Après tout, pourquoi ne pas donner le pouvoir au peuple ? Elle a vu tant de misères. Adèle s'est passionnée aussi pour Rosa Luxemburg. La passionaria rouge est sortie de prison, elle a repris, en Allemagne, son combat en faveur des ouvriers. Adèle admire celle qui n'a eu peur de rien pour défendre ses idées et faire émerger un courant de pensée, jusqu'à se faire assassiner. «Quelle femme! Elle a eu raison de refuser cette guerre qui a fait tant de morts.»

Sans se l'avouer, elle aurait tant aimé être ce genre de femme, intelligente et pleine de cran, qui œuvre pour les autres au péril de sa vie. Une irréductible qui ne s'agenouille pas. Malheureusement, elle n'est qu'une bourgeoise qui n'a jamais connu que le confort. Elle se trouve misérable.

Adèle a le sentiment d'être double, de se perdre dans les méandres de son ambivalence. Les idées socialistes l'aspirent mais elle continue à vivre dans une opulence indécente, un îlot de richesses dans un océan de misère. Elle n'a pas renoncé à ses réceptions, ses invités concentrent toute la richesse financière et intellectuelle de la ville. La semaine précédente, elle recevait encore Oskar Kokoschka dont le style enchante Ferdinand, il y avait aussi Richard Strauss, Stefan Zweig, Arthur Schnitzler et son épouse Olga malgré leur mésentente, ainsi qu'Hugo von Hofmannsthal. Il a offert son dernier livre à Adèle, *La Femme sans ombre*, et lui a parlé de son projet de créer un festival à Salzbourg. Bien d'autres étaient là encore, comme Julius Tandler. Ferdinand s'est résigné à cette amitié. Légèrement grisée par le vin, Adèle, dans sa pose favorite, son fume-cigarette à la bouche, une main posée sur sa hanche galbée, avait marqué une pause pour observer ce beau monde. Elle était à la fois fascinée par cette élite de la culture mais si étrangère à leur assurance, à leur bonheur.

24. La neige

Adèle vient d'avoir quarante ans. Elle évite désormais son reflet dans le miroir. Elle ne veut plus voir cette femme qui ne ressemble plus à celle que Klimt a peinte et peut-être aimée. Ces dernières années l'ont usée. Elle a perdu l'espoir de procréer. « Donner la vie », elle se répète cette phrase en boucle. Elle est cernée par la mort. Ses deux enfants, ses quatre frères Léopold, Karl, David puis Eugen, son père et Klimt. Régulièrement, elle pense avoir cicatrisé ses blessures mais à chaque fois, le chagrin la rattrape. C'est ainsi depuis des années.

Souvent, elle pense que Klimt a été l'artisan d'un mensonge, il aurait dû la peindre, non pas dans sa magnificence mais dans ce qu'elle est réellement, une ombre maléfique, un Janus à deux faces. Elle se sent plus proche des figures de la mort représentées dans sa *Frise Beethoven* à la Sécession ou même dans *L'Espoir* derrière la femme enceinte, là c'est elle. Bien elle.

Elle donnerait tout, ses bijoux inestimables, ses toiles de maître, ses porcelaines, le château de Prague pour connaître ce bonheur-là.

Le goût de vivre vacille chez Adèle. La mort a rôdé toute sa vie autour d'elle. Elle lui a arraché avec cruauté tous ceux qui lui sont chers. La dernière disparition a été celle de sa mère, la courageuse Jeanette. Il n'y aura pas de transmission. Elle est la branche morte de l'arbre généalogique.

Ce qui la distrayait autrefois n'a plus cours. Les stimulations intellectuelles dont elle avait tant besoin ne la tentent plus vraiment. Ou alors seule avec ses livres. La plupart des écrivains ont trouvé refuge dans d'autres parties du monde. L'antisémitisme qu'elle avait toujours refusé de percevoir l'atteint désormais dans sa chair. Dans les cafés, les discussions ne tournent qu'autour du sionisme. La vie semble s'échapper d'elle peu à peu. Elle a doublé sa consommation de cigarettes malgré la toux qui l'étreint plusieurs minutes d'affilée chaque matin. Il lui faut reprendre son souffle avant de poser un pied hors du lit. Ferdinand a beau lui mener une guerre ardente pour qu'elle remise son fume-cigarette, elle ne veut rien entendre malgré les maux de tête, les maux de poitrine, le mal de vivre.

De plus en plus souvent, elle rêve à sa mort, imagine ses obsèques comme s'il s'agissait de son ultime contentement. Elle voit, dans ce cimetière qu'elle connaît par cœur, son mari au premier rang, éploré et soutenu par sa sœur Thérèse. Viennent ensuite ses belles-sœurs, puis toute la belle société de Vienne qu'elle a reçue chez elle et parfois rejetée.

Impossible d'envisager son corps en terre. Adèle s'est passionnée pour l'ouverture de la Feuerhalle Simmering, le premier crématorium de Vienne. La polémique qui a suivi sa création l'a passionnée. Adèle s'affirmera dans la mort. Personne dans sa famille n'a encore osé la crémation, mais c'est la seule chose qui lui paraît convenir. Elle ne supporte pas l'idée de moisir sous terre et ne croit pas en l'au-delà. Et puis qui viendra déposer des fleurs sur sa tombe, lorsque Ferdinand aura disparu lui aussi, puisqu'il n'y a pas d'enfants?

Dans un sentiment d'urgence, Adèle rédige son testament. L'avenir lui semble incertain et si peu désirable. Ses traits ont perdu de leur grâce, sa silhouette autrefois si fine s'est épaissie. Que lui reste-t-il à attendre de la vie? Sans en parler à Ferdinand, Adèle a pris rendez-vous avec un notaire pour la semaine suivante. Évidemment, cette fois-ci, elle ne peut s'adresser à Gustav, son beau-frère. Non, ce notaire ne doit pas venir à Elisabethstraße, elle se rendra à son cabinet. Chaque jour, Adèle réfléchit à ses dernières volontés. Si elle avait des enfants ou même un seul, ce serait si simple. Ils seraient ses héritiers. Mais là...

Un matin, Adèle attend le départ de Ferdinand et prie Hannah de la laisser seule. Elle s'empare de ses deux coffres à bijoux qu'elle vide avec minutie. Elle étale sur son lit chacune des pièces qu'elle classe par catégories : les bagues, les bracelets, les colliers. Puis les ceintures et les six montres. Elle a inscrit sur une feuille de papier les noms de ses nièces et de ses deux belles-sœurs à qui elle compte donner après sa mort tous ces joyaux. Elle a mis de côté ceux hérités de sa mère qui reviendront à Thérèse, comme il se doit. Elle classe, déplace et attribue aux uns aux autres. Elle hésite encore pour ce bracelet, il sera finalement pour Maria. Reste le collier de chien, celui aux cinq cents perles. Celui du tableau. Celui de *La Dame en or*. Celui de Klimt. Adèle ne l'a plus porté depuis la mort de Gustav. Il est resté dans son coffret, elle n'a plus eu la curiosité de le regarder. Il devrait aller à Thérèse. À qui le donner sinon ?

Adèle le sort délicatement de son écrin, éblouie par la rutilance des pierres précieuses et de cette quantité d'or. Soudain, le bijou lui brûle ce qui lui reste de cœur. Elle revoit Gustav Klimt le lui enlever, la première fois... Elle ressent la précision du geste, la chaleur de sa peau lorsqu'il cherchait le fermoir à l'arrière. Elle ne s'attendait pas à cette vague d'émotion. Tout lui semble si loin. Gustav, mort depuis cinq ans déjà. Avec ce collier entre les mains, c'est tout un pan de sa vie qui lui revient en mémoire. On croit avoir tout oublié, que tout est enfoui, scellé par le temps, et sans prévenir l'émotion surgit, intacte et bouleversante. Elle est terrassée, assaillie par les souvenirs. Un long soupir élégiaque s'échappe de sa poitrine. Elle ne donnera ce collier à personne.

Ferdinand en fera ce qu'il voudra, il l'offrira à une autre s'il se remarie. Il n'est pas homme à rester seul dans une grande maison sans enfant. Il n'est pas homme à demeurer sans compagne pour l'attendre chaque soir. Il a besoin de la douceur de la vie à deux. Adèle est convaincue qu'elle ne vivra pas très longtemps. Elle ne saurait dire pourquoi ni comment cette conviction s'est forgée en elle depuis des années déjà. Ce ne sont pas seulement ces rides aux coins des yeux et ces sillons qui se creusent qui la découragent. « La beauté de l'âge », Adèle sourit cyniquement en se répétant cette expression consolatrice. Quelle beauté quand le visage s'affaisse chaque jour un peu plus ? Quelle consolation pour une femme à la perte de sa beauté sinon de voir ses enfants grandir ? Son passé est peuplé de morts, alors l'avenir... Les lendemains ne l'intéressent plus, rien n'enchante sa vie. Ses maux de tête sont plus violents encore qu'autrefois. Ils la terrassent des jours entiers, la forçant à se coucher.

Irréconciliable avec la vie, déterminée, Adèle reprend sa tâche. Son lit est transformé en véritable gare de triage. Chaque bijou a désormais une destinataire. Il reste encore la broche offerte par Klimt, la seule qui n'ait pas de réelle valeur. Qu'en faire ? Ferdinand ne comprendrait pas qu'elle demande à être consumée avec ce bijou... Adèle a tout inscrit sur son petit carnet rouge, celui qu'elle emportera chez le notaire afin que tout soit précisément consigné. Sa sœur et ses belles-sœurs se débrouilleront avec ses tenues, ses fourrures, elles les garderont ou les donneront, cela lui est bien égal. La robe originale ne ressemble guère à celle que Klimt a peinte, il l'a transformée avec ses motifs égyptiens. Elle a beau réfléchir, elle ne sait vraiment pas à qui la destiner. Puis soudain une idée lui traverse l'esprit. Puisque c'est avec cette robe qu'elle est immortalisée, c'est celle qu'elle portera dans son cercueil. Celle avec laquelle elle sera emportée par les flammes. Elles brûleront ensemble, comme elle a brûlé pour Klimt. Cette perspective lui procure un ravissement funèbre. Alors pourquoi pas le collier et les deux bracelets aussi ? Elle hésite, se ravise encore une fois. Finalement, elle les laissera à Ferdinand. À lui après tout de décider s'il voudra les voir porter par la défunte.

Il y a aussi ces deux portraits peints par Gustav. Ferdinand souhaitera, à coup sûr, les conserver. Mais non, il ne le faut pas. Adèle l'a trahi, elle refuse que le mensonge vive après sa mort, qu'il continue à penser à elle, devant ces toiles peintes par son amant. Même morte, elle aurait l'impression de le tromper encore et encore. Il vaut mieux que ces portraits aillent au musée du Belvédère après leur mort à eux deux. Elle verra cela avec le notaire. Adèle se sent plus aérienne depuis qu'elle a pris ces décisions, soulagée. D'ici à deux jours, son testament sera établi. Il lui reste à prévoir deux ou trois petites choses pour Hannah et Franz qui se sont montrés d'une fidélité exemplaire. Elle leur léguera quelques porcelaines précieuses qu'ils pourront revendre en cas de nécessité. Et la bibliothèque? Enfin les deux bibliothèques, celle de Vienne et celle de Jungfer-Brezan? Qui voudra de ses livres? Adèle réfléchit, elle aime ces ouvrages qui l'ont aidée à vivre. Comment aurait-elle pu surmonter ses immenses chagrins sans eux? Même lorsque sa peine l'empêchait de lire, elle les accumulait sur sa table de chevet comme autant de réconforts. Souvent elle les prenait, les retournait, les observait. Elle les ouvrait, tentait de s'accrocher à quelques lignes, avant de renoncer, épuisée par le manque de concentration. Comme ses livres l'ont sauvée, ils peuvent en protéger d'autres qu'elle. Ils devraient servir de refuge à ceux qui en ont le plus besoin, les abriter de leurs douleurs.

L'idée chemine, Adèle fera don de ses bibliothèques à des associations, qui les distribueront à leur tour à ceux qui n'ont pas la chance de posséder de tels ouvrages. Après réflexion, elle opte en faveur de la bibliothèque pour le peuple et les ouvriers de Vienne. Sa fibre sociale est soudain à vif. Elle veut faire davantage. Dans son testament, elle décide d'ajouter une précision de taille. Cinquante mille couronnes tchèques iront à deux associations. La première pour les ouvriers amis des enfants, et la seconde pour le travail social et la diffusion des idées sociales. Elle songe encore à ces réfugiés à qui elle est venue régulièrement en aide. Elle ignore ce qu'est devenue Rebekka, repartie après la guerre rejoindre ce qui lui reste de famille. Elle léguera aussi une somme d'argent pour les plus démunis. Adèle se sent heureuse, comme elle ne l'a plus été depuis longtemps. Depuis tant de temps, depuis ses quinze ans, depuis la mort de Karl, depuis que son insouciance s'est envolée. Il lui reste une dernière instruction à faire porter sur son testament : elle sera incinérée et ses cendres reposeront en dehors de la partie juive. Ce ne sera pas négociable.

Le soir, Ferdinand trouve sa femme plus gaie que les jours précédents. À cinquante-huit ans, il commence à souffrir des articulations. Les affaires se sont considérablement durcies. Même pendant la guerre, les cours ne semblaient pas si fluctuants. La concurrence du Nouveau Monde s'annonce plus rude. Il est inquiet. Et puis ce climat de haine contre les juifs qui empoisonne les relations comme jamais. Adèle avait peut-être raison…

Elle avait la conviction que son existence serait courte. Elle avait vu juste. À quarante-trois ans, en plein hiver viennois, le 24 janvier 1925, Adèle est emportée par une méningite. À moins que ce ne fût une encéphalite. Elle a vu la mort venir la chercher. Son tour était arrivé. Elle n'a pas eu peur, elle l'attendait, elle était prête. Adèle savait que le néant la délivrerait de tout. À quoi bon avoir peur de ne plus se souvenir? Nul n'aura jamais su que l'enfant perdu, l'année de ses trente et un ans, n'était pas celui de Ferdinand. Il était celui de Gustav Klimt.

Adèle était la clef de voûte de l'existence de Ferdinand. Depuis vingt ans, tout ce qu'il avait gagné, voulu, c'était pour elle. Comment vivre sans Adèle?
Lorsque le cercueil renfermant la dépouille de son épouse tant aimée se fait avaler par les flammes, la douleur est terrifiante. Gustav et Thérèse le soutiennent, chacun d'un côté. À cet instant précis, il comprend la détresse ressentie par Adèle lorsque Fritz est mort. Ferdinand est pétri de remords de ne pas avoir su accompagner sa femme sur son chemin de souffrance.

Pourquoi avoir été si absent, laissant Adèle seule avec ses tourments et ses maux de tête ? Il a cru que son goût pour l'art, les sorties et les réceptions, sa sœur et les enfants avaient suffi à emplir sa vie. A-t-elle voulu abréger son supplice, en fumant autant, en refusant de consulter des spécialistes pour son cerveau malade ?

Sur les papiers officiels du décès d'Adèle, il est écrit « sans confession », la volonté farouche d'Adèle a été respectée.

Une plaque au nom d'Adèle est apposée l'après-midi même sur le mur du souvenir. Elle est l'une des toutes premières. Le mur qui s'étend sur plusieurs mètres est encore vierge. Seule l'ombre des branches nues du grand bouleau vient dessiner ses reflets sur la pierre. Thérèse n'a pas compris que sa sœur ne veuille pas rejoindre son fils Fritz. Il aurait presque vingt ans. Mais Adèle ne croyait plus en la vie, encore moins à la vie dans l'au-delà. La mère et l'enfant sont séparés. Ils l'ont été dès le premier jour. On ne rattrape pas le temps perdu. Le tout nouveau funérarium se situe de l'autre côté de la route, à l'extérieur du cimetière central. Ferdinand tremble. Il a les pieds dans la neige, le vent est glacial. L'idée de la vie sans Adèle l'écrase. Dans quelques heures, il pourra se réfugier dans sa bibliothèque, se réchauffer le cœur devant sa *Dame en or*.

Après elle

Ferdinand porte le deuil d'Adèle, à sa manière, touchante et maladroite. Dans la chambre de sa femme, il installe les deux portraits réalisés par Gustav Klimt. *La Dame en or* y tient la première place. Chaque jour, il apporte une transformation à la pièce, ajoutant un bibelot qu'elle aimait, une photo. Il en fait un véritable mausolée. Le soir, après dîner, il vient fumer son cigare, face à la *La Dame en or*, puis contemple le second portrait et se remémore la présence d'Adèle, cette vibration dans l'air, ce parfum, sa voix. Parfois, il fait marcher le gramophone qui avait tant enchanté la jeune femme et ses yeux s'embuent.

Thérèse et Gustav accueillent régulièrement à leur table l'inconsolable Ferdinand. Année après année, il voit les enfants grandir. Ses neveux sont presque devenus des jeunes hommes. Mais il couvre d'une affection toute particulière la petite Maria qui ressemble tant à sa tante. Les jours de fête, il emmène les cinq enfants dans son mausolée, saluer tante Adèle. Il fait déposer par Hannah des fleurs blanches, celles qu'aimait tant sa femme. Il leur parle d'elle, de la manière dont elle avait tant enchanté sa vie de leur amour.

À partir de 1933, la montée du nazisme assombrit l'existence des Bloch-Bauer. L'antisémitisme éclate au grand jour, c'est une vague puissante, virulente, une maladie qui contamine les intelligences. Cinq ans plus tard, les nazis sont accueillis par des acclamations à Vienne comme dans le reste de l'Autriche. Il ne fait pas bon être juif.

Les affidés d'Hitler exigent l'aryanisation de la société autrichienne. Les juifs doivent être destitués de leurs propriétés mais aussi de leurs entreprises. En 1938, ils ne sont plus autorisés à quitter l'Autriche sans abandonner leurs biens. Ils sont systématiquement expropriés. Maria, si jolie, se marie à Elisabethstraße avec Fritz Altmann, chanteur d'opéra. La fête est belle. Ferdinand entraîne sa nièce pour lui offrir l'incroyable collier d'Adèle, celui du tableau. Un matin de 1938, des officiers nazis débarquent dans l'immeuble d'Elisabethstraße. En l'absence de ses parents, Maria les reçoit. Ils exigent le stradivarius de son père que leur donne aussitôt le majordome. Maria a peur, ne discute pas. Alors elle leur remet aussi le collier de diamants et tout le reste de ses bijoux. Goering offrira le collier à sa femme...

Quelques semaines plus tard, Ferdinand est dépossédé de sa maison, de ses sucreries, de son importante collection de porcelaine et de ses œuvres d'art parmi lesquelles les cinq toiles de Klimt. Il ne lui reste rien. Lorsque les Allemands envahissent la Tchécoslovaquie, là où Ferdinand s'est réfugié, il réussit à fuir en Suisse. Son frère Gustav est mort, peu après la saisie de son violoncelle qui faisait battre son cœur et qui avait accompagné tant de fêtes, au temps de leur splendeur. Comme Klimt l'avait fait quelques années plus tôt, Ferdinand devient le tuteur de la famille de son frère disparu. Maria et son mari, ses quatre frères et sœurs, leur mère Thérèse parviennent à s'échapper eux aussi, vers l'Angleterre puis aux États-Unis. Ferdinand fait une démarche auprès des nazis pour récupérer les portraits de sa femme défunte. Le régime nazi ne lui rendra que son propre portrait peint par Kokoschka qu'ils jugent comme étant de l'art dégénéré. Hitler « possède » désormais cinq mille tableaux de maître, tous spoliés, tous volés. La plus grande collection au monde. Il pense avoir sa revanche sur l'Académie des beaux-arts de Vienne qui n'a pas voulu de lui, par deux fois, dans sa jeunesse.

En 1943, l'État autrichien ne se gêne pas pour organiser une exposition Klimt dans laquelle trône *La Dame en or* rebaptisée *Portrait de femme sur fond doré*. À la fin de la guerre, Ferdinand Bloch-Bauer rédige son testament. Et contrairement à Adèle qui voulait que les toiles soient données au musée du Belvédère, il demande que les œuvres soient restituées à ses héritiers, ses neveux et nièces. Il décède un mois plus tard. Une plaque sera apposée à côté de celles de sa femme et de son frère Gustav, sur le mur du souvenir au funérarium. Maria et Fritz Altmann tentent d'oublier le passé et de se construire une nouvelle vie de citoyens américains avec trente-cinq dollars par mois pour vivre. Maria, aidée de son frère et de sa sœur, décide de saisir la justice pour récupérer leur dû auprès de l'État autrichien. Elle a grandi devant le portrait de cette tante. Les œuvres sont exposées au musée du Belvédère, lequel met en avant le testament d'Adèle dont Maria ignore les termes. L'État autrichien lui met le marché en main : « Les toiles de Klimt ne vous appartiennent pas. Alors renoncez et nous vous rendons les porcelaines. » Dépitée, la famille opte pour la transaction. Ils recouvrent les porcelaines et disent adieu aux Klimt. La revente des assiettes et tasses rares leur permet de vivre décemment et de payer les avocats. L'histoire ne s'arrête pas là : en 1969, un magazine spécialisé, *ARTnews*, révèle l'ampleur des spoliations. L'affaire Klimt est relancée. On découvre que des centaines d'œuvres sont stockées par l'État autrichien qui n'a jamais pris la peine de rechercher leurs propriétaires. Acculé, l'État vend aux enchères cette collection pour quatorze millions de dollars reversés à la communauté juive autrichienne. Mais les Klimt n'y figurent pas. En 1998, nouveau rebondissement. Un journaliste autrichien enquête sur l'affaire Bloch-Bauer. Au terme d'une année de recherche intensive dans les archives du Belvédère, il rassemble les documents nécessaires. Il apporte les preuves que le musée autrichien n'en est pas le propriétaire. Forte de ces nouvelles informations, Maria Altmann repart en guerre. Elle lance en septembre 1998 une procédure contre le musée avec l'appui de Randol Schoenberg, avocat proche de la famille. En 1999, la nièce d'Adèle s'envole pour Vienne où elle n'était pas revenue depuis sa fuite en 1938. Elle découvre que la maison de son enfance et de l'insouciance, à Elisabethstraße, a été occupée par la société des chemins des fers... Celle-là même qui envoyait les juifs vers les camps de la mort. Maria est submergée par les images de sa jeunesse et de son mariage, le temps du bonheur. Mais elle fait figure de voleuse. Elle n'est pas la fille d'Adèle, elle n'est plus une Bloch-Bauer et les Autrichiens, médias en tête, l'accusent de vouloir accaparer ce trésor national. Il suffit pourtant d'observer les photos de son mariage, elle porte l'incroyable collier et partage avec Adèle la même beauté, le même port altier. Malgré l'agressivité du gouvernement et de la ministre de la

Culture en particulier, Maria ne se laisse pas impressionner. À l'aube du xxiᵉ siècle, elle décide d'en appeler à la juridiction américaine pour obtenir l'autorisation de poursuivre l'État autrichien. Contre toute attente, elle gagne cette nouvelle manche. En 2006, c'est au tour d'un tribunal arbitral autrichien de reconnaître que le testament d'Adèle n'a pas de valeur légale. Les cinq Klimt, dont *La Dame en or*, doivent donc être restitués à la famille. La dernière héritière vivante d'Adèle obtient enfin réparation. Un combat acharné de près de cinquante ans s'achève. Maria Altmann met aussitôt en vente sur le marché les œuvres, qui s'arrachent pour un montant total de 327 millions de dollars, 135 millions de dollars pour *La Dame en or*, qui devient le septième tableau le plus cher au monde. Avant sa mort en 2011, à l'âge de quatre-vingt-quatorze ans, elle fait des dons et redistribue cette somme colossale. Il n'est pas question pour elle d'enfermer le portrait d'Adèle. L'acquéreur, Ronald S. Lauder, ancien ambassadeur américain en Autriche et membre de la World Jewish Restitution Organization, expose, dans sa magnifique Neue Galerie au 1048 de la célèbre Cinquième Avenue de New York, le chef-d'œuvre de Klimt. L'incroyable beauté d'Adèle appartient dorénavant à l'éternité.

Épilogue

J e suis allée à Vienne, à la fin d'octobre 2016, au moment où les feuilles de marronniers prennent cette couleur ocre, presque dorée, comme une toile de Klimt. J'avais déjà écrit près de cent pages. J'avais voyagé pendant des mois à travers la littérature classique autrichienne. Je m'étais documentée sur Gustav Klimt, sur la vie à Vienne à l'aube du XXe siècle. J'avais fouillé dans les informations que l'on pouvait trouver sur Adèle, en français, en anglais aussi. Mais les éléments sur sa personnalité et son intimité étaient rares. Je m'étais laissé conduire par mon imagination pour ce roman qui n'était qu'une ébauche. Je possédais le fil de mon histoire, mais il me fallait valider – ou non – certaines thèses sur lesquelles je m'étais avancée à l'intuition. Avec Eva Knels, jeune chercheuse allemande en histoire de l'art, nous avons sillonné la ville des jours durant, à la recherche du moindre renseignement, usant nos chaussures par les plus de dix kilomètres parcourus chaque jour. Nous sommes allées admirer les toiles de Klimt au Belvédère, à l'Albertina, au Kunsthistorisches Museum, au Leopold Museum, au Wien Museum. Quelle émotion devant *Le Baiser* mais encore devant *Judith* ou *Adam et Ève*. Nous avons encore visité le palais de la Sécession pour découvrir ce haut lieu du renouveau artistique qui abrite la *Frise Beethoven* peinte par Gustav Klimt ainsi que le musée des Arts décoratifs pour mieux appréhender le mouvement créateur des années 1900-1920. Découvrir les œuvres de Josef Hoffmann et celles de Koloman Moser. Et puis, nous sommes allées au Burgtheater, admirer les fresques de Klimt, de son frère Ernst et de Franz Matsch, et à l'opéra écouter une version somptueuse d'*Armide* de Christoph Willibald Gluck. Nous avons arpenté les *Gassen* et les *Straßen* pour nous arrêter là où Adèle vécut avec Ferdinand, le premier, le second domicile, puis les jardins du Belvédère, le Volksgarten et le Burggarten. Nous avons descendu, puis remonté le Ring. Nous sommes allées boire des thés dans les fameux cafés viennois, là où artistes et intellectuels venaient refaire le monde. Le métro nous a rapprochées du dernier atelier de Klimt. L'odeur de peinture a disparu, mais le chevalet et le divan trônent toujours dans ce lieu magique que hante l'ombre de Gustav et d'Adèle.

À la Bibliothèque nationale, nous sommes allées en quête de la moindre trace des Bloch-Bauer, le moindre document sur la vie à Vienne dans les années 1900-1918, dans les nombreux rayonnages. Au cimetière général, nous avons cherché la tombe de Fritz Bloch, mais les années ont effacé les noms comme les souvenirs. Nous étions au milieu des tombes d'enfants décédés il y a plus d'un siècle. La végétation qui a envahi ces vieilles pierres rend cet endroit incontestablement envoûtant. C'est là, à ce moment-là, que la biche est apparue, à la fois vivante et irréelle, comme dans une scène rêvée. Elle nous faisait face, nous fixait, semblant nous demander ce que nous faisions là. Comme s'il fallait laisser en paix ces petits êtres qui n'avaient pas connu le chaos du xxᵉ siècle.

Puis nous sommes reparties à la recherche de l'imposante nécropole consacrée à la famille Bloch. Le plus émouvant a été de se recueillir devant l'ultime refuge d'Adèle au funérarium égayé par les chênes, un sapin bleu Koster et l'immense touffe d'un laurier. Elle était là devant moi, disparue avec ses mystères. J'ai déposé mes fleurs. Des pensées blanches au cœur mauve…

Klimt repose quant à lui dans un autre cimetière, à l'autre bout de la ville. Il n'y a pas de tombe, juste une pierre sur laquelle est inscrit son nom, façon Art nouveau, à l'image de sa signature. Deux à trois fois par an,

Adèle venait saluer son vieil ami, qui fut sans doute bien davantage.

Mais c'est à New York, dans le froid de décembre, que j'ai vraiment rencontré Adèle. Je n'étais pas la seule, il y avait une longue file d'attente devant l'entrée de la Neue Galerie. Adèle s'y trouvait, au centre d'une exposition sur Klimt et les femmes. Elle trônait vêtue de sa robe en or dans cette œuvre majestueuse dont aucune reproduction ne donne l'exacte réalité. Ni dans la subtilité des reliefs, ni dans l'éclat des tons, ni dans le rayonnement de l'or. Je me suis assise face à ce portrait. Comme Ferdinand, comme tant d'autres, je l'ai observé et admiré. Mais en mon for intérieur, une petite voix me répétait qu'Adèle et moi, pourtant si différentes, étions désormais liées. Adèle n'est pas moi et je ne suis pas Adèle.

Je ne suis pas née en 1882.

Je ne suis pas autrichienne.

Je ne suis pas juive.

Je ne suis pas issue de la haute bourgeoisie.

Je vivais avec elle depuis des mois, elle vivrait maintenant en moi.

L'Adèle à laquelle je me suis attachée détenait suffisamment de part romanesque pour en dérouler le fil imaginaire. Un fil doré, évidemment, désormais relié au firmament.

En ce mois de mai 2017, au moment où je referme le livre de sa vie, je remercie Adèle de m'avoir aidée à écrire une nouvelle page de la mienne.

Remerciements

Ma gratitude va d'abord à vous, lecteurs, si nombreux, de *Merci pour ce moment*.

À vous qui avez eu la curiosité de vous plonger dans ce livre sans me juger.

À vous qui m'avez écrit par centaines, et dont je conserve les lettres, toutes lues et soigneusement rangées dans de jolies boîtes.

Vous à qui je demande de me pardonner de n'avoir pu répondre à tous.

Mes remerciements vont également :

– à mon éditeur Laurent Beccaria pour son soutien permanent ;

– à Werner Spies, historien de l'art et essayiste allemand pour ses conseils ;

– à Eva Knels pour son aide précieuse dans mes recherches en allemand et son enthousiasme ;

– à Irakli Nasidze, grand couturier, pour sa description des étoffes et sa poésie ;

– à Christophe Lemaître, joaillier, pour sa connaissance des pierres ;

– à Tahar Ben Jelloun pour ses encouragements ;

– à Flore Gurrey pour son assistance et sa gentillesse ;

– à toute la formidable équipe des Arènes qui me fait tant aimer cette maison ;

– à *Paris Match* pour m'avoir menée sur ce chemin ;

– à mes amis si présents, si importants ;

– à ma famille si chère.

Bibliographie

Pour me documenter

Jean Béranger, *L'Empire austro-hongrois, 1815-1918*, Armand Colin, «Collection U», 2011.

Design der Wiener Werkstätte, 1903-1932, Christian Brandstätter, Verlag Christian Brandstätter, 2003.

Jean des Cars, *Le Roman de Vienne*, Éditions du Rocher, 2005.

Jacques Le Rider, *Journaux intimes viennois*, PUF, 2000.

Jacques Le Rider, *Arthur Schnitzler*, Belin, 2003.

Jacques Le Rider, *Les Juifs viennois à la Belle Époque*, Albin Michel, 2013.

Tobias G. Natters, *Gustav Klimt*, Taschen, 2012.

Gilles Néret, *Klimt*, Éditions de Vergeures, «À l'école des grands peintres», 1982.

Élisabeth Roudinesco, *Sigmund Freud, en son temps et dans le nôtre*, Seuil, 2014.

Élisabeth Roudinesco, *Retour sur la question juive*, Points Essais, 2016.

Carl E. Schorske, *Vienne fin de siècle, politique et culture*, Seuil, 2017.

Sandra Tretter, Peter Weinhäupl et Felizitas Schreier, *Gustav Klimt, Atelier Feldmühlgasse 1911-1918*, Brandstätter, 1914.

Alfred Weidinger (dir.), *Au temps de Klimt, la Sécession viennoise*, 24 ORE Cultura, 2015.

Pour m'enchanter

Françoise Giroud, *Alma Mahler ou l'art d'être aimée*, Pocket, 2001.

Hugo von Hofmannsthal, *La Femme sans ombre*, Le Livre de poche, 1999.

Karl Kraus, *Cette grande époque*, Rivages poche, 2000.

Ernst Lothar, *Mélodie de Vienne*, Liana Levi, 2016.

Georges Prochnik, *L'Impossible Exil, Stefan Zweig et la fin du monde*, Grasset, 2016.

Catherine Sauvat, *Rilke*, Fayard, 2016.

Arthur Schnitzler, *Romans et nouvelles*, tome I (1994) et tome II (1996), La Pochothèque.

Stefan Zweig, *Romans et nouvelles*, tome I, 2001, La Pochothèque.

Stefan Zweig, *Romans, nouvelles et théâtre*, tome II, 2001, La Pochothèque.

Stefan Zweig, *Le Monde d'hier*, Belfond, 1996.

Stefan Zweig-Sigmund Freud, Correspondance, Rivages poche, 2013.

Frank Tallis, *Du sang sur Vienne*, 10/18, 2007.

Pour honorer

Hubertus Czernin, *Die Fälschung Der Fall Bloch-Bauer und das Werk Gustavs Klimts*, Czernin Verlag, 1999.

Anne Marie O'Connor, *The Lady in Gold*, Vintage Books, 2012.

L'EXEMPLAIRE QUE VOUS TENEZ ENTRE LES MAINS A ÉTÉ RENDU POSSIBLE
GRÂCE AU TRAVAIL DE TOUTE UNE ÉQUIPE.

COUVERTURE : Quintin Leeds
MISE EN PAGE : Soft Office
DOCUMENTATION ET RELECTURE : Eva Knels
RÉVISION : Nathalie Mahéo et Amel Mouhal
FABRICATION : Maude Sapin

COMMERCIAL : Pierre Bottura
COMMUNICATION : Isabelle Mazzaschi et Jérôme Lambert,
avec Adèle Hybre
RELATIONS LIBRAIRES : Jean-Baptiste Noailhat

DIFFUSION : Élise Lacaze (Rue Jacob diffusion), Katia Berry
(grand Sud-Est), François-Marie Bironneau (Nord et Est),
Charlotte Knibiehly avec Charlotte Jeunesse (Paris et région parisienne),
Christelle Guilleminot (grand Sud-Ouest), Laure Sagot (grand Ouest)
et Diane Maretheu (coordination), avec Christine Lagarde (Pro Livre),
Béatrice Cousin et Laurence Demurger (équipe Enseignes),
Fabienne Audinet et Benoît Lemaire (LDS), Bernadette Gildemyn
et Richard Van Overbroeck (Belgique), Nathalie Laroche
et Alodie Auderset (Suisse), Kamel Yahia et Kimly Ear (Grand Export)

DISTRIBUTION : Hachette

DROITS FRANCE ET JURIDIQUE : Geoffroy Fauchier-Magnan
DROITS ÉTRANGERS : Sophie Langlais

ENVOIS AUX JOURNALISTES ET LIBRAIRES : Patrick Darchy
LIBRAIRIE DU 27 RUE JACOB : Laurence Zarra
ANIMATION DU 27 RUE JACOB : Perrine Daubas

COMPTABILITÉ ET DROITS D'AUTEUR : Christelle Lemonnier
avec Camille Breynaert
SERVICES GÉNÉRAUX : Isadora Monteiro Dos Reis

La couverture et la bande ont été imprimées
par l'imprimerie Matthys en Belgique.

Achevé d'imprimer en France
par Normandie Roto s.a.s. en avril 2017.

ISBN : 978-2-35204-615-8
N° d'impression : 1701225
Dépôt légal : mai 2017